Innin

This gaitherin o poems, stories an picters is fir scuils, tae gie mair breidth tae the vizzy o leid, leeterature an mair forby. The scrieven in the heid dialecks o Scots wi a bittie Gaelic is fir the bairns, ten an ower, bit aw ages will fin muckle tae tak pleisure fae.

Thrie pieces fae the Heilans, whaur Gaelic wes yince the hameart tung, are in Suddron tae mind us that leids dee. Gaelic is fechtin back wi virr. Shid we noo lat Scots, a bonnie, parteeklarlie Scottish leid, dwine intae mindin? Howe in the shaddae o Suddron, its kizzen an mair an mair the world's leid, it is atweel threitent.

Bit letten the leid weir awa, bi negleck or eident, wid mean sneckin wursels aff fae by-ordinar scrievers an wur ain histories an tradeetions. This quair shews whit micht be tint.

Ro-radh

'S ann do sgoiltean a tha an cruinneachadh seo de bhàrdachd, de sgeulachdan 's de dhealbhan, a-chum an tuilleadh farsaingeachd a chur ri ionnsachadh cànain, litreachais is eile. 'S ann don òigridh, suas bho dheich bliadhna a dh'aois, a tha an sgrìobhadh, ann am prìomh dhualcainntean Albais, le cuibhreann de Ghàidhlig, ach còrdaidh e ris gach aois.

Tha trì pìosan bhon Ghàidhealtachd, far am b' i a' Ghàidhlig uaireigin an cànan làitheil, an seo am Beurla gus cur nar cuimhne gum bi cànanan a' bàsachadh. Tha Ghàidhlig a' tighinn air ais gu làidir. Am bu chòir dhuinn a-nise leigeil le Albais, cànan bòidheach à Alba a-mhàin, sìoladh a-steach do eachdraidh? Fo sgàil na Beurla, do bheil i càirdeach agus a tha gu mòr a' gabhail orra inbhe cànan an t-saoghail, tha i gu cinnteach ann an cunnart.

Ach ma leigeas sinn don chànan bàsachadh, le dìth suim no a dh'aon ghnothaich, tha sinn gar sgaradh fhìn bho sgrìobhadairean cudthromach agus bhor n-eachdraidh 's ar dualchas. Tha an cruinneachadh seo a' sealltainn na dh'fhaodte a chall.

Introduction

This collection of poems, stories and pictures is for schools, to help add further breadth to the study of language, literature and more besides. The writing, in the major dialects of Scots, with some Gaelic, is for the young, ten upwards, but all ages will find much to enjoy.

Three pieces from the Highlands, where Gaelic was once the everyday tongue, are in English to remind us that languages die. Gaelic is fighting back strongly. Should we now let Scots, a beautiful, uniquely Scottish language, fade into memory? Deep in the shadow of English, its cousin and increasingly the world's language, it is certainly vulnerable.

But letting the language die, by neglect or intent, would mean cutting ourselves off from important writers and our own histories and traditions. This collection shows what might be lost.

Contents

Contents

Acknowledgements

The publishers thank the following for kind permission to use copyright material.

Iain Crichton Smith for 'Aig Clachan Chalanais' ('At the Callanish Stones'), from *Air Ghleus 1, ACAIR.* Copyright © Iain Crichton Smith; Faber & Faber Ltd, on behalf of the author, for an extract from 'The Fox's Skin' by Marion Angus, from *The Turn of the Day.* Copyright © Faber & Faber Ltd; Michael Grieve for 'Hungry Waters', 'The Bubblyjock', 'Empty Vessel', 'Crowdieknowe' and 'The Bonnie Broukit Bairn', all by Hugh MacDiarmid. Copyright © Michael Grieve; Richard Swigg of Clockhouse Records for permission to reproduce the recording of 'Crowdieknowe' from the audio cassette, *The Scotland of Hugh MacDiarmid.* Copyright © Clock House Records; Elizabeth J. P. Allan for 'Naebody' and 'Bairns', from *Awa Fae Ballater* 1987. Copyright © Elizabeth J. P. Allan; Janet Paisley for 'Breakin Rainbows', 'Sharleen: Ah'm Shy' and 'Graffiti' from *Pegasus in Flight*, Rook Book Publications, 1989. Copyright © Janet Paisley; George Mackay Brown for 'The Nor'-Wast Men'. Copyright © George Mackay Brown; Alfred C. Hunter for 'The Toad' from *More Collected Poems*, and 'Beasties' from *Collected Poems* by Helen Burness Cruickshank, Gordon Wright Publishing. Copyright © Alfred C. Hunter; Storr Music for 'Cearcall a' Chuain' ('Circle of Ocean') by Calum MacDonald and Rory MacDonald, *Runrig.* Copyright © Storr Music; Ellie McDonald for 'Sunday Spectacular' from the *Gangan Fruit* and *Chapman New Writing Series*, 1991. Copyright © Storr Music; The Trustees of the National Library of Scotland for 'Wullie Waggletail' by William Soutar. Copyright © The Trustees of the National Library of Scotland; Sheena Blackhall for 'The Hen's Lament' from *The Cyard's Kist*, Rainbow Enterprises, 'The Punnie' and 'Doric-Reggae-Spider Rap' from *A Toosht o Whigmaleeries*, and 'North-East Nineties Rap' from *Back o Bennachie*, Hammerfield Publishing. Copyright © Sheena Blackhall; The Saltire Society and the Scottish National Dictionary Association for 'Street Talk', 'Tinker', 'Crocodile' and 'Heron' by J. K. Annand. Copyright © The Saltire Society and the Scottish National Dictionary Association; Jim Blaikie for 'The Evacuee' from *A Laddie Looks at Leith*, Hobby Press, 1993. Copyright © Jim Blaikie; Margaret Hulse for 'Seall Orms' ('Look at Me') from *Trobhadaibh-A-Steach* ('Come Inside'), ACAIR, 1989. Copyright © Margaret Hulse; Robert Stephen for 'The Fox Without a Tail' from *The Fables of Aesop in Scots Verse*. Aulton Press. Copyright © Robert Stephen; Lionel McClelland for 'The Ballad of Sawney Bean'. 'Black-eyed Biddy' and Dunkeld Records/Limetree Arts and Music for the use of the recording. Copyright © Lionel McClelland and Copyright © Dunkeld Records for music; William Neill for 'The Pouer o Advertisin' from *Galloway Landscape*, Urr Publications, 1981. Copyright © William Neill; William Keys for 'A Dug A Dug'. Copyright © William Keys; Adam McNaughtan for 'The Jeely Piece Song'. Copyright © Adam McNaughtan; Nora Hunter for 'Lament for a Lost Dinner Ticket' by Margaret Hamilton from *Scottish International*, April 1972. Copyright © Nora Hunter; Nancy Nicolson for 'Listen Tae the Teacher'. Copyright © Nancy Nicolson; Robert Johnson for 'Cargoes'. Copyright © Robert Johnson; D. C. Thomson & Co Ltd. for 'The Broons' and 'Oor Wullie' extracted from *The Sunday Post.* Copyright © D. C. Thomson & Co Ltd; John J. Graham for 'Da Beltane Foy' from *Shadowed Valley*, The Shetland Publishing Co., 1987. Copyright © John J. Graham; William J. Rae for 'Three Gleg Craiturs'. Copyright © William J. Rae; C. M. Dunn for 'An Giomach' ('The Lobster') from *Air Ghleus 1*, ACAIR. Copyright © ACAIR; Brown, Son & Ferguson, Ltd. for 'The Bogle' by W. D. Cocker from *Poems, Scots and English*, Brown, Son & Ferguson, Ltd. Copyright © Brown, Son & Ferguson, Ltd.; John Burns for 'The Wuid' published in *West Coast Magazine*, 17, 1994. Copyright © John Burns; Myles M. Campbell for 'Iain Agus na Drugaichean' ('Ian and the Drugs') published by ACAIR. Copyright © Myles M. Campbell; Secondary 2 (1991–92), Pierowall Junior High School, Westray, Orkney for 'The Christmas Story'. Copyright © Secondary 2 (1991–92), Pierowall Junior High School, Westray, Orkney; Canongate Books Ltd for 'The Saubbath' by Robert McLellan from *Linmill Stories*, Canongate 1990. Copyright © Canongate Books Ltd., 14 High Street, Edinburgh EH1 1TE; Stephen Mulrine for 'The Coming o the Wee Malkies', Akros Publications, Preston 1968. Copyright © Stephen Mulrine; Margaret Green for 'The Ballad of Janitor Mackay'. Copyright © Margaret Green; Ian Sutherland for 'Fi'baw in the Street' by Robert Garioch. Copyright © Ian Sutherland; Cecilia J. Mowatt for 'The Auld Workin Collie' from *The Orcadian.* Copyright © Cecilia J. Mowatt; Jenny S. Stewart for 'Wur Cheeko' from *Chance a Snifter?*, Camps Bookshop, 1983. Copyright © Jenny S. Stewart; Josephine Neill for 'A Christmas Poem'. Copyright © Josephine Neill; Fionnlagh MacLeòid for 'An Naoidhean' ('The Infant'), from *Seòid na Mara*, ACAIR, 1986. Copyright © Fionnlagh MacLeòid; D. A. Bulter for 'Da Selkie' by Rhoda Bulter from *Shaela*, Thule Print Ltd., 1976 and for 'Shetlandic' by Rhoda

AIG CLACHAN CHALANAIS

Aig clachan Chalanais an-dè
chuala mi tè ag ràdh ri t' èile:
"seo far na loisg iad a' chlann o shean."
Chan fhaca mi draoidhean anns na reultan
no grian na gùn: ach chunna mi
ball brèagha gorm mar nèamh air sgàineadh
is clann le craiceann slaodadh riutha
mar a' bhratach sna dh' ìobradh Nagasaki.

Iain Mac a' Ghobhainn

AT THE CALLANISH STONES

At the Callanish Stones yesterday
I heard one woman say to another:
"They used to burn children here long ago."
I did not see druids in the stars
or a sun or a gown: but I saw
a beautiful blue ball like heaven bursting
and children with torn skin
like the banner under which Nagasaki was sacrificed.

Iain Crichton Smith

The Fox's Skin

Marion Angus

When the wark's aw dune and the world's aw still,
And whaups are swoopin across the hill,
And mither stands cryin, 'Bairns, come ben,'
It's time for the Hame o the Pictish Men.

A sorrowful wind gaes up and doon,
An me my lane in the licht o the moon
Gaitherin a bunch o the floorin whin,
Wi my auld fur collar hapt roond ma chin.

A star is shining on Morven Glen –
It shines on the Hame o the Pictish Men.
Hither and yont their dust is gane,
But ane o them's keekin ahint yon stane.

His queer auld face is wrinkled and riven,
Like a raggedy leaf, sae drookit and driven.
There's nocht to be feared at his ancient ways,
For this is aw that iver he says:

'The same auld wind at its weary cry:
The blin-faced moon in the misty sky;
A thoosand years o clood and flame,
An aw things the same an aye the same –
The lass is the same in the fox's skin,
Gaitherin the bloom o the floorin whin.'

wark's	work
whaups	curlews
'Bairns, come ben'	'Children, come inside'
my lane	alone
floorin	flowering
hapt	wrapped
keekin ahint yon stane	peering from behind that stone
drookit	drenched

Hungry Waters

Hugh MacDiarmid

For a little boy at Linlithgow.

The auld men o the sea
Wi their *daberlack* hair
Hae *dackered* the coasts
O the country *fell sair.*

They gobble owre *cas'les*,
Chow mountains to *san'*;
Or lang they'll eat up
The haill o the lan'!

Lickin their white lips
An yowlin for mair,
The auld men o the sea
Wi their daberlack hair.

seaweed-tangled
battered
very severely

castles
Chew, sand
Before long

NAEBODY

Betty Allan

A'm Naebody. *Fa* are *ee*?
Are ee Naebody tee?

Bein Somebody widna dae
For a self-taught Naebody like me.
Somebody's aye in the public eye.
Somebody's got something tae say.

Them that's Naebody's never *socht*
Tae gie a speech or tell a joke.
Naebody never taks the chair.
(Naebody's probably nae even there.)

Naebody passes messages on,
Types an files an answers phones,
Washes claes an polishes *sheen*,
Naebody's work is never deen!

They never seek Naebody's opeenion.
They think that Naebody disna hae ane!
But should Naebody lift his cairds – or dee –
See then fit happens tae Somebody!

A'm Naebody. *Fa* are *ee*?
Are ee Naebody tee?

Who, you

wanted

shoes

Who

Breakin Rainbows

Janet Paisley

He wis jist a wee lad
dibblin in a puddle,
glaur fae heid tae fit,
enjoyin haen a guddle.
He micht hae been a poacher
pu'in salmon fae the beck.
He coulda been a paratrooper,
swamp up tae his neck.
Oneywey, he wis faur awa,
deep wandered in his dreams.
It richt sobered me tae mind
a dub's no whit it seems.
An while ah watched an grieved
the loss that maks a man a mug,
alang the road fair breenged his Maw
an skelpt him roon the lug.

Willie Wastle

Robert Burns

(Tune: *Sic a Wife as Willie had*)

Willie Wastle dwalt on Tweed,
The spot·they ca'd it Linkumdoddie.
Willie was a wabster guid
Could stown a clue wi onie bodie.
He had a wife was dour and din,
O, Tinkler Maidgie was her mither!
Sic a wife as Willie had,
I wad na gie a button for her.

wabster	weaver
stown	have stolen
dour and din	stubborn, dark-skinned
Tinkler	Tinker
Sic	Such

She has an ee (she has but ane),
The cat has twa the very colour,
Five rusty teeth, forbye a stump,
A clapper-tongue wad deave a miller;
A whiskin beard about her mou,
Her nose and chin they threaten ither:
Sic a wife as Willie had,
I wad na gie a button for her.

forbye	besides
deave	deafen
ither	each other

She's bow-hough'd, she's hem-shinn'd,
Ae limpin leg a hand-breed shorter;
She's twisted right, she's twisted left,
To balance fair in ilka quarter;
She has a hump upon her breast,
The twin o that upon her shouther:
Sic a wife as Willie had,
I wad na gie a button for her.

bow-hough'd, hem-shinn'd	bandy, ham-shinned
Ae, hand-breed	One, hand-breadth
ilka	each
shouther	shoulder

Auld baudrans by the ingle sits,
An wi her loof her face a-washin;
But Willie's wife is nae sae trig,
She dights her grunzie wi a hushion;
Her walie nieves like midden-creels,
Her face wad fyle the Logan Water:
Sic a wife as Willie had,
I wad na gie a button for her.

baudrans	Old pussie
loof	paw
trig	trim
dights, grunzie, hushion	wipes, snout, sleeve
walie nieves	huge fists
fyle	dirty/defile

T E NOR'-WAST MEN

George Mackay Brown

A group of Orkney women waiting on Stromness Street for their men to return, after a long absence, from Hudson's Bay. It is 1820.

CHORUS:
And why are we women of Stromness here today,
Out in the street, when we should be busy at home
With brooms and cradles and pots?
Not even gossiping – we're far too excited.
And look, we have our Sunday glad-rags on,
Though it's only midweek
And Lammas Market and Yule a long way off ....
Our men and sweethearts are coming home today
After seven years and more
At the cold trading stations of Hudson's Bay –
They're here already, the ship anchored this morning –
And we wait at the pier, having been patient and faithful
For seven winters .... We've been here since early morning
At the pier, in holiday shawls, with beating hearts.

Woman 1	O yes, they aye have plenty o money, the Nor'-Wast men.
Woman 2	I wonder will I ken Andrew, after all this time!
Woman 3	The pubs'll be busy this same night.
Woman 4	Lord help that Jock if he darkens a pub door!
Woman 3	Mansie too – Last time he was a week gettan home to Birsay, and every ha'penny spent.
	(*A masterful woman, Mistress Isbister, and a girl, Bella-Jean, enter*)
Mrs Isbister	We'll bide here Bella-Jean. I think they come this way .... (*To the waiting room*) Are you waiting for the men from Hudson's Bay? (*The women nod*) They're in the agent's office, signing off.
Bella-Jean	Me very hands are shaakan – I'm that excited!
Mrs Isbister	You really must speak proper English, Bella-Jean.
Bella-Jean	I'm sorry.
Mrs Isbister	Remember, you're to be a rich man's wife. He was well on the way to being appointed governor last I heard – Governor Thomas Isbister.
Bella-Jean	It's gey long since he wrote fae the Nor'-Wast.
Mrs Isbister	Thomas was never a great hand at the letter-writing.
Bella-Jean	What if he's forgotten aboot me?

This is the sort of ship Tam Isbister would have sailed in.

Mrs Isbister	Nonsense. I'm his mother, and you're promised to him, Bella-Jean. Don't be silly.
Woman 2	It'll be Tam thu'll be waitin for.
Mrs Isbister	Thomas, not Tam.
Bella-Jean	Will Tam be changed much?
Mrs Isbister	He's been working and saving and getting on at Fort Churchill for seven years. He'll be rich. That'll be the only change, I should think.
Bella-Jean	I would like fine if he bowt a ferm.
Mrs Isbister	A farm! Don't be silly Bella-Jean. Thomas will likely invest in a shop in the middle of the town. A shipchandler's would be fine. I expect he'll build a new house, two storeys of course, at the back of Stromness. Thomas will have a position to keep up.
Woman 3	Who would ever have thowt it!
Mrs Isbister	Thought what?
Woman 3	That Tam Isbister the grocer's apprentice would ever be a rich man.
Mrs Isbister	I always knew Thomas would get on ….
Woman 2	A wild place, that Hudson's Bay.
Woman 3	Mansie said, if it's no Indians it's the French.
Woman 1	If it's no the French it's wolves and bears.
Woman 4	Your very spit turns solid, Jock says – it's that cowld.

An Orkney 'Bay' man in embroidered mooseskin jacket.

Woman 2	So I won't begrudge them a drink after all this time.
Mrs Isbister	Of course they'll be wanting Thomas for a magistrate.
Woman 4	A magistrate?
Mrs Isbister	Yes, Stromness is a proper town now, with a council. They're sure to want Thomas for a bailie.
Bella-Jean	Will they?
Mrs Isbister	Certainly. A man of his experience. And Mr Learmonth the minister will know a good elder when he sees one.
Bella-Jean	An elder – Tam!
Mrs Isbister	Why not?
Woman 4	Tam wis aye a grett wan for the fiddling and the lasses and the ale.
Bella-Jean	Surely, thu minds that.
Mrs Isbister	All changed now, Bella-Jean. You'll see Thomas strolling round the pier with the other merchants on the top of the day. Yes. He'll have a black suit on, and a gold chain across his middle, and a snuff-box in his hand …. And always, before he says anything, he'll give a little cough.
Bella-Jean	I'll no ken Tam, if he carries on like that.
Mrs Isbister	You're to be his wife, Bella-Jean. His name is Thomas. There's lots of things you have to learn.
Woman 1	They're coman noo, I think.
Woman 2	Yes, they are.
Woman 4	We'd better stand back.
Woman 3	They've aal got beards. What wey will I ken Mansie?
	(*A group of men from the Hudson's Bay enter, bearded and befurred, boxes on their shoulders. One or two carry guns. They stand in the street and look about them*)
Man 1	I recognise the Plainstones, whatever.
Man 2	(*Looking at the women*) I don't know a soul. Who are you, lass?
Woman 2	Babbie Ann.
Man 3	They're all grown women, the lassies I kent.
Man 4	(*Pointing*) There's a new ale-house.
Man 1	We'll try it, eh?
Man 2	(*To one of the women*) Thu'll come a walk wi me to the Brinkies Brae the night, eh?
Woman 3	(*Sharply*) Mansie Folster!
Man 1	Marget.

Woman 3	You'll go to no ale-house, my lad. You'll come home wi' me.
Man 3	(*Greeting one of the women*) Andrina!
Man 3	I must be in Birsay before dark.
	(*One by one the Nor'-Wast men go off with their women*)
Bella-Jean	I don't see Tam at all.
Mrs Isbister	(*To a Nor'-Wast man*) Was Thomas Isbister from Stromness on the ship with you?
Man 4	He's somewhere.
	(*Last up the pier comes a small insignificant bearded man. There is a woman behind him with piercing eyes, a hooked nose, and black, straight gleaming hair. She carries an infant on her back. Four other children follow behind, shy and nervous as reindeer.*)
Bella-Jean	What poor-like folk!
Mrs Isbister	The wife's an Indian. Just look at that! A disgrace, taking a half-breed family home to Orkney! …. I wish Thomas would hurry. No doubt the agent's wanting to consult him about something.
Bella-Jean	I think they want to speak to us.
Man 5	(*To the Indian woman*) Don't be frightened, woman. This is Stromness. (*To the children*) Come here, White Cloud. Come here, Grey Walrus. You're home now. (*He holds out his hand to Mistress Isbister*)
Mrs Isbister	Nothing for beggars, my man. Move along.
Man 5	Hello, Bella-Jean.
Bella-Jean	(*Shyly*) Hello.
Man 5	(*To Mistress Isbister*) Mother, do you no ken me? I'm thee son Tam. This is my wife, Leaping Salmon, and that's Peerie Caribou on her back …. And here's Red River …. and Grey Walrus …. and me own Peerie White Cloud …. Come noo, bairns, and meet thee granny.

THE TOAD

Helen B. Cruickshank

shut

basket

evil

tongs, tightly
shoved

remembering

A mither sat on her kitchen floor,
Her bairns were beddit, an steekit the door.
Her man was awa wi rod an reel,
To try an fill his fishin creel;
An as she glowered into the flame,
Waitin until her man cam hame,
She felt some ill thing watchin her –
Wi dreid her hair began to stir.
She turned her heid, beside her sat
A muckle toad that leered an spat,
But whaur it cam frae wha could tell?
It seemed an ill thing oot o hell.
She seized the tangs, she gripped it ticht,
She stapped it in the fire sae bricht,
An as it writhed an shrivelled there,
It shrieked like a bairn in wild despair.
O glad was she when her man cam back,
But never a word o the toad she spak,
An lang she lay awake that nicht,
Wi mindin on that fearsome sicht.

Neist day, the morn was fresh an clear,
She hauf-forgot her midnicht fear,
But raked the ashes cannily,
Whaur she had seen the ill thing dee.

The luck had been wi the fishin creel,
The troot were fried wi guid oatmeal,
An awa to the moss wi his new peat-blade
To cast aa day the guidman gaed

Biddin his wife come wast at noon,
Wi cheese an milk, an bannocks broun.
Noo, mind the hoose, my bonny Neil,
An see ye herd wee Rona weel!
She hurries yont the moor as planned,
The dinner basket in her hand.
The day was warm, Neil fell a-sleepin,
Oot frae her cot cam Rona creepin.

The guidman drank his milk wi zest,
An vowed the bannocks o the best,
An while he rested frae the heat,
The guidwife set up twa-three peat,
Until he yokit tae the blade,
Syne on her hameward road she gaed.

She crossed the burn, she climbed the knowe,
Is that the cottage in a lowe?
The windows baith were spewin reek,
O Rona! Neil! the frenzied shriek
Een flegged the sheep upon the moor!
She flew dementit through the door,
And as she gropes for her waesome load,
Oot owre the threshold loups a toad.

carefully

peat-bank
cut (peats), husband went

oatcakes
take care of
watch over

started

hillock
on fire
pouring smoke

frightened
madly
sorrowful burden
jumps

19

CEARCALL A' CHUAIN · CIRCLE OF OCEAN

Tha sinn uile air cuan
stiùireadh cuairt tro ar beatha,
a' seòladh geòla dhorch
air chall an grèim na mara.
Tha a' ghaoth air ar cùl,
tha a' gheòl' a' cumail roimhe
's cha dèan uair no an cuan
toinisg dhuinn no rian.

A' mhuir, tha i ciùin,
tha i fiadhaich, tha i farsaing.
Tha i àlainn, tha i diamhair,
tha i gamhlasach is domhainn.
O, ach sinn, tha sinn dall
's chan eil againn ach beatha,
tog an seòl, tog an ràmh
gus am faigh sinn astar ann.

Ach tha mi 'n dùil, tha mi 'n dùil
nuair a bhitheas a' ghrian dol fodha,
chì iad mi a' stiùireadh 'n iar
null a dh'Uibhist air a' chearcall:
cearcall a' chuain
gu bràth bithidh i a' tionndadh
leam gu machair geal an iar
far an do thòisich an là.

We try to find a course
on the broad open sea,
sailing a dark ship lost
in the grip of the sea.
The winds push from behind,
driving us on and on;
neither time passing nor the ocean
brings wisdom or order.

The sea may be calm,
may be wild, may be wide.
The sea may be beautiful,
may be secret, may be tumultuous, deep.
We see so little,
but have only one life.
Raise up the sail; pull on the oar;
let's be moving onwards.

I can see the time coming
when the sun is going down,
when I'll be steering westwards,
with Uist on the horizon.
May the circle of the horizon
keep turning for me
until I reach the white sands of the West,
where day first began.

Calum MacDhòmhnaill,
Runrig

Calum MacDonald,
Runrig

Johnny Scramble, nae preamble,
draws oan waws whin naebody's lookin,
YAISES AEROSOL CANS,
RINS AWA FAE POLIS VANS.
Coarnered yisterday, he wis.
KEN WHIT THE STUPIT EEJIT DIS?

Pents hissell tae match the waw,
thocht they'd no see him at aw.

Johnny Scramble's jist a ful,
NOO HE'S IN THE HOASPITUL
whaur naebody hus oney peety
FUR SICH A RARE CASE o GRAFFITI.

GRAFFITI

Janet Paisley

SUNDAY SPECTACULAR

Ellie McDonald

I went tae watch a marathon last week.
Near twa thousand puir dementit craiturs,
ilk ain hauf nakit, forby thrie waiters,
Santy Claus, seiven fairies an a freak

cried Quasimodo, wha bunged a plastic
cup at me, for naethin. The spectators
cheered thaim on like they wir gladiators
about tae dee. A pucklie were fell seik

lookin onywey. Man, yon wis a faur
cry frae the Olympics. Drappin like flees,
Doctors, polis, ambulances aawhaur.

Minds me on yon Greek loon, Phaidippides.
Ran aa the wey tae Athens frae the war,
Syne drappit doun, stane deid o hert disease.

crazy

each one, as well as

chucked

few, very sick

everywhere

that, boy

WULLIE WAGGLETAIL

William Soutar

Wee Wullie Waggletail, what is a your stishie?   **all your fuss**
Tak a sowp o water and coorie on a stane: **drink, snuggle down**
Ilka tree stands dozent, and the wind without a hishie   **dozing, sound**
Fitters in atween the fleurs and shogs them, ane be ane.   **tiptoes, shakes**

What whigmaleerie gars ye jowp and jink amang the   **fancy, makes, dart**
  duckies,
Wi a rowsan simmer sün beekin on your croun: **small stones**
Wheeple, wheeple, wheeplin like a wee burn owre the   **shining, crown**
  chuckies,
And wagglin here, and wagglin there, and wagglin up and   **pebbles**
  doun.

The Hen's Lament

Sheena Blackhall

It's nae delight tae be a hen
Wi clooks an claws an caimb
Reestin wi the rottans
In a hen-hoose for a hame.

Nae sunner div I settle doon
My clutch o bairns tae hatch
The fairm-wife comes – a scraunin pest –
She cowps me aff ma cosy nest
A tarry-fingert vratch.

Jist lately, though, she's changed her tune –
Ma plaitie's piled wi corn.
"Sup up, ma bonnie quine," says she,
"We're haein broth the morn!"

spurs, comb
Roosting, rats

sooner

scrounging
tips
wretch

plate
lass

bairns

Betty Allan

Fit is it we hiv against bairns?
Fit hairm hiv they deen us ava?
Haein brocht them aa intae this ill-trickit warld
Div we nae really want them at aa?

Fit wey div we leave them perplexed
Fan they need tae ken fit's fit, for sure?
Fit wey, fan they maist need tae be understood
Dis some big body aye slam the door?

Vietnamese bairns were fried wi napalm.
Some governments stairve bairns at will.
Sooth African bairnies were shot doon or jiled.
Nicaraguans train bairns tae kill.

There's Scots bairnies butchered an bruised;
Bairns, tortured again an again,
Lie waukrife an wait for that fit on the stair
That brings the unspeakable pain.

An we never let on that we ken!
Fit is it we hiv against bairns?

What, have
at all
mischievous
Do

Why
When, know what's what

sleepless, foot

J. K. Annand

STREET TALK

There was a rammie in the street,
A stishie and stramash.
The crabbit wifie up the stair
Pit up her winda sash.

"Nou what's adae?" the wifie cried,
"Juist tell me what's adae."
A day is twinty-fower hours, missis,
Nou gie us peace to play.

"Juist tell me what's ado," she cried,
"And nane o yer gab," cried she.
D'ye no ken a doo's a pigeon, missis?
Nou haud yer wheesht a wee.

"I want to ken what's up," she cried,
"And nae mair o yer cheek, ye loun."
It's only yer winda that's up, missis.
For guidsake pit it doun.

Tinker

Wha wadna be a tinker
Campin aa the year,
Selling besoms, mendin pats,
Getherin orra gear.

Pipin for the towrist,
Moochin for himsel;
Sittin roond the camp-fire
He's mony a tale to tell.

He ne'er bides lang in ae bit
But flits frae place to place,
He hardly ever gangs to schule
And needna wash his face.

Margin glosses:

uproar, commotion
bad-tempered

be quiet for a while

brushes, pots
Gathering odds and ends

stays, one spot

J. K. Annand

CROCODILE

When doukin in the River Nile
I met a muckle crocodile.
He flicked his tail, he blinked his ee,
Syne bared his ugsome teeth at me.

Says I, 'I never saw the like,
Cleaning your teeth maun be a fyke!
What sort a besom do ye hae
To brush a set o teeth like thae?'

The crocodile said, 'Nane ava.
I never brush my teeth at aa!
A wee bird redds them up, ye see,
And saves me monie a dentist's fee.'

splashing about
enormous

Then, horrible

must be a bother
brush

whatsoever

cleans

Heron

A humphy-backit heron
Nearly as big as me
Stands at the waterside
Fishin for his tea.
His skinnie-ma-linkie lang legs
Juist like reeds
Cheats aa the puddocks
Soomin mang the weeds.
Here's ane comin,
Grup it by the leg!
It sticks in his thrapple
Then slides doun his craig.
Neist comes a rottan,
A rottan soomin past,
Oot gangs the lang neb
And has the rottan fast.
He jabs it, he stabs it,
Sune it's in his wame,
Flip-flap in the air
Heron flees hame.

hump-backed

frogs
Swimming

gullet
throat
Next, rat

beak

belly

THE EVACUEE

Jim Blaikie

Ma gas mask boax hings frae ma neck,
Tears drappin' frae ma ee;
Sniff'n blink; keep strecht in line;
I'm anither evacuee.

The Germans are comin', us bairns hiv tae gae;
For safety's sake we've tae flee;
They'll bomb a' oor hooses an' schules an' things;
But I'm only six – an' juist wee.

I've left ma ain street an' ma freens,
I'm pairt o' this lang crocodile
O name-tagged weans (case we get lost);
Lookin' roon I see niver a smile.

Big fowk are shoutin' at us tae get on
The train steamin' at the platform;
fight   We clamber aboard, fecht for a seat
By the windae whaur sun's streamin' warm.

brown   I clutch on ma knees ma wee broon case,
I've tae keep it safe, ye see;
It's got my toothpaste an' pyjammys an' things
That ye need tae live in the country.

stay   For that's whaur we're goin', wi' strangers tae bide;
I wunner if they'll like me?
I feel awfu lonely, an' frichtit inside,
For I'm only six – an' gey wee.

A puff an' a toot, the train hurls oot,
An' ma breist's churnin' nervously;
Will I ever see ma mammy again?
For I'm only six – an' I'm wee.

SEALL ORMS'

Seall orms' - nach mi an gille;
Chan eil mo leithid tric ri fhaicinn -
Tlachdmhor, maiseach, treun is calma,
Fearail, tuigseach, ciatach, làidir,
Gaisgeil, eireachdail is stuama -
Nach math dhan chaileig nì mo bhuannachd!

Mairead Hulse

LOOK AT ME

Look at me - what a guy;
You'll seldom see my like -
Appealing, attractive, brave, muscular,
Manly, intelligent, handsome and strong,
Heroic, magnificent and modest -
Won't the girl who gets me be fortunate!

Margaret Hulse

The Fox Without a Tail

Robert Stephen

once taken

A fox was eence taen in a trap
But he managed to get free,
By bitin aff his bushy tail;
do There was naething else to dee.

At the time he never minded,
when But fin the stump began to heal,
He did his best to hide it
silly For he thocht it lookit feel.

way He says, "I canna live this wye:
A fox withoot a tail."
Then he had an inspiration;
He was sure it couldna fail.

So he called the ither foxes
To Till a meetin in the wid.
Fin he saw their lang an bushy tails
He kept his stump weel hid.

But he cleared his throat an started:
"I'm gled that ye could mak it.
good I've got some gweed advice for ye,
I only hope ye tak it.

wondering "I s'pose ye've aa been winnerin
Hoo I dee withoot my tail.
To tell the truth my noble freens,
I'm deein afa well.

"It disna stick on brambles,
An it disna freeze wi sna;
I can rin much faster noo
weight, at all For it's jist nae weicht ava.

"I never hiv tae clean it
dirt For it never gets aa muck,
Fin I'm sneakin throwe the fairmyard
To steal a hen or duck.

"Yes, it really is amazin
Whit a difference it can mak,
Withoot a great big bushy tail
Gaun curlin owre your back.

"If ye want some gweed advice
Then jist try it for yoursels.
It could really change your lives
If ye'll aa cut aff your tails."

An aul grey fox stood up an lauched:
"So we widna miss a tail?
I doot ye widna tell us this
If ye still had ane yoursel."

*If ither folk hiv something
That ye ken ye canna get,
Dinna say that ye despise it
Jist because ye canna hae't.*

The Ballad of Sawney Bean

Lionel McClelland

Go ye not by Gallowa,
Come bide a while, my freen,
I'll tell ye o the dangers there –
Beware o Sawney Bean.

There's naebody kens that he bides there
For his face is seldom seen,
But tae meet his eye is tae meet your fate
At the hands o Sawney Bean.

For Sawney he has taen a wife
And he's hungry bairns tae wean,
And he's raised them up on the flesh o men
In the cave o Sawney Bean.

And Sawney has been well endowed
Wi daughters young and lean
And they aa hae taen their father's seed
In the cave o Sawney Bean.

An Sawney's sons are young an strong
And their blades are sharp and keen
Tae spill the blood o travellers
Wha meet wi Sawney Bean.

So if you ride fae there tae here
Be ye wary in between
Lest they catch your horse and spill your blood
In the cave o Sawney Bean.

They'll hing ye up an cut yer throat
An they'll pick yer carcass clean
An they'll yase yer banes tae quiet the weans
In the cave o Sawney Bean.

But fear ye not, oor Captain rides
On an errand o the Queen
And he carries the writ o fire and sword
For the head o Sawney Bean.

They've hung them high in Edinburgh toon
An likewise aa their kin
An the wind blaws cauld on aa their banes
An tae hell they aa hae gaen.

THE POUER O ADVERTISIN

William Neill

Yon tartan laird in the picter wi his glessfu o whisky
an the bonnie pipers playin in yon kid-on Balmoral
cannae possibly be drinkin the selsame stuff
as yon puir gowk staucherin aboot the Gressmercat
slitterin an boakin his saul oot in the siver
inspired nae doot bi bauld John Barleycorn.

fool, staggering
dirty, vomiting, gutter

Yon dolly bird wi the velvet single-en an the hoor's een
puffin et yon lang fag straikin her lover-boy's pow,
cannae be smokin the same brand as oor Wullie thare,
hoastin his lichts oot thonner in the Royal Infirmary.
His cough disna ease his kingsize carcinoma,
the product o years o resairch bi the cigarette company.

single-end, whore's eyes
stroking, head

coughing his guts up

Man, advertisin, is yon no amazin?
Ye can buy juist aboot onything noo-adays . . .

Poother tae mak ye whiter,
lipstick tae mak ye ridder,
a hunner assortit smells tae droon oot the stink
o common humanity.

Powder

An is it no amazin thay've never
made onything, ken, that'll stop ye
deein.

you know
dying

A DUG   A DUG

Bill Keys

Hey, daddy, wid yi get us a dug?
A big broon alsatian? Ur a wee white pug,
Ur a skinny wee terrier ur a big fat bull.
    Aw, daddy. Get us a dug. Wull ye?

N whose dug'll it be when it durties the flerr?
and pees'n the carpet, and messes the sterr?
It's me ur yur mammy'll be taen fur a mug.
Away oot an play. Yur no needin a dug.

floor
stair

Bit, daddy! Thur gien thum away
doon therr at the RSPCA.
Yu'll get wan fur nothin so ye wull.
    Aw, daddy. Get us a dug. Wull ye?

Doon therr at the RSPCA!
Dae ye hink ah've goat nothin else tae dae
bit get you a dug that ah'll huftae mind?
Yur no needin a dug. Ye urny blind!

Bit, daddy, thur rerr fur guardin the hoose
an thur better'n cats fur catchin a moose,
an wee Danny's dug gies is barra a pull.
    Aw, hey daddy. Get us a dug. Wull ye?

barrow

Dae ye hear im? Oan aboot dugs again?
Ah hink that yin's goat dugsn the brain.
Ah know whit ye'll get; a skiten the lug
if ah hear any merr aboot this bliddy dug.

slap, ear

Bit, daddy, it widnae be dear tae keep
N ah'd make it a basket fur it tae sleep
N ah'd take it fur runs away orr the hull.
    Aw, daddy. Get us a dug. Wull ye?

Ah don't hink thur's ever been emdy like you.
Ye could wheedle the twist oot a flamin coarkscrew.
Noo get doon aff mah neck. Ah don't want a hug.
Awright. That's anuff. Ah'll get ye a dug.

anybody

    Aw, daddy! A dug! A dug!

Adam McNaughtan

I'm a skycraper wean; I live on the nineteenth flair,
But I'm no gaun oot tae play ony mair,
Cause since we moved tae Castlemilk, I'm wastin away
Cause I'm gettin wan meal less every day:

Chorus
Oh ye cannae fling pieces oot a twenty storey flat,
Seven hundred hungry weans'll testify to that.
If it's butter, cheese, or jeely, if the breid is plain or pan,
The odds against it reaching earth are ninety-nine tae wan.

On the first day ma maw flung oot a daud o Hovis broon;
It came skytin oot the windae and went up insteid o doon.
Noo every twenty-seven oors it comes back intae sight
Cause ma piece went intae orbit and became a satellite.

On the second day ma maw flung me a piece oot wance again;
It went and hut the pilot in a fast low-flying plane.
He scraped it aff his goggles, shouting through the intercom,
"The Clydeside Reds huv goat me wi a breid-an-jeely bomb."

On the third day ma maw thought she would try another throw.
The Salvation Army band was staunin doon below.
"Onward, Christian Soldiers" was the piece they should've played
But the oompah man was playing a piece an marmalade.

We've wrote away tae Oxfam tae try an get some aid,
An aw the weans in Castlemilk have formed a "piece brigade."
We're gauny march tae George's Square demanding civil rights
Like nae mair hooses ower piece-flinging height.

Lament for a lost dinner ticket

Margaret Hamilton

A116890
DINNER TICKET
EDUCATION DEPARTMENT

See ma mammy
See ma dinner ticket
A pititnma
Pokit an she pititny
Washnmachine.

See thon burnty
Up wherra firewiz
Ma mammy says
Am no tellnyagain
No'y playnit.
A jist wen'y eatma
Pokacrisps furma dinner
Nabigwoffldoon.

The wummin sed Aver near
Clapsd
Jistur heednur
Wee wellies sticknoot.

They sed Wot heppind?
Nme'nma belly
Na bedna hospital.
A sed A pititnma
Pokit an she pititny
Washnmachine.

They sed Ees thees chaild eb slootly
Non verbal?
A sed MA BUMSAIR
Nwen'y sleep.

LISTEN TAE THE TEACHER

Nancy Nicolson

He's five year auld, he's aff tae school,
Fairmer's bairn, wi a pencil an a rule,
His teacher scoffs when he says "Hoose",
"The word is 'House', you silly little goose."
     He tells his Ma when he gets back
     He saw a "mouse" in an auld cairt track.
     His faither lauchs fae the stack-yaird dyke,
     "Yon's a 'Moose', ye daft wee tyke."

Listen tae the teacher, dinna say dinna,
Listen tae the teacher, dinna say hoose,
Listen tae the teacher, ye canna say munna,
Listen tae the teacher, ye munna say moose.

He bit his lip and shut his mooth,
Which wan could he trust for truth?
He took his burden ower the hill
Tae auld grey Geordie o the mill.
     An did they mock thee for thy tongue,
     Wi them sae auld and thoo sae young?
     They werena makkin a fuil o thee,
     Makkin a fuil o themsels, ye see.

Listen tae the teacher. . . . . .

Say "Hoose" tae the faither, "House" tae the teacher,
"Moose" tae the fairmer, "Mouse" tae the preacher,
When ye're young it's weel for you
Tae dae in Rome as Romans do,
     But when you growe and ye are auld
     Ye needna dae as ye are tauld,
     Nor trim yer tongue tae please yon dame
     Scorns the language o her hame.

Listen tae the teacher. . . . . .

Then teacher thought that he wis fine,
He kept in step, he stayed in line,
And faither said that he wis gran,
Spak his ain tongue like a man.
     And when he grew and made his choice
     He chose his Scots, his native voice.
     And I charge ye tae dae likewise
     An spurn yon poor misguided cries.

Listen tae the teacher. . . . . .

Doris Watt

If ye'd asked Muggie Robertson if she believed in wee green men fae Mars, she wud huv telt ye tae awa and no be daft, because Muggie kent fur a fact they were mair like purple, and how she come tae ken wis like this.

She wis aye in the habit o takkin hur doag fur a run in the Baxter Park afore she went tae hur bed, and that's whut she wis daein on the Setterday nicht she met the spacemen. (This was back in the days, mind, when a wummin could tak a turn aroond the park withoot gettin set on by a gang o neds.)

She'd let the doag aff the lead, and it wis beltin awa ower the park in the direction o the tennis coorts. She cried on it tae come back, but it wis haein a braw time sniffin aboot in the grass, and made oot like it didna hear hur.

It come back quick enough though, when the spaceship landed in front o the pavilion. An affy size o a thing it wis, this spaceship, like a big sasser wi a cup turnt upside-doon on it – ken, like the weh ye pit yer cup when ye're waitin tae get the tea leaves read – and there wis a big licht on tap o it, shinin like the sun comin up ower the Caledon shipyaird.

Now there ur some funny sichts aroond Dundee on a Setterday nicht late on, but Muggie hud never seen onything like this afore, so she waited tae see whit wid happen next. The doag aw this time wis hunkered doon at the back o hur, howlin like a big fairdie.

coward

Onywey – the fron o the spaceship opened up, and oot rolled a wee cairtie. It wis jist like ane o they bairn's pilers, except it hud a gless cover ower it.

It floated doon the steps tae the bottom park and stopped in front o Muggie.

Then twa purple individuals got oot, bold as ye like, and wakked ower tae her.

Ane o them pushed a button on a box on his chest, and efter some affy squeakin and whistlin, this posh voice like a wireless announcer says, "Take me to your leader."

"Meh leader?" says Muggie. "D'ye mean the chargehand? Ye'll no get much cheenge oot o him on a Setterday nicht. He'll hae been in the pub fae the match come oot."

The box on the spaceman's chest started to crackle, and smoke come poorin oot o it.

Then the ither ane spoke up. "The speech converter does not understand your language."

"Bloomin cheek! Eh dinna yase langwidge! Ye want tae hear some o them that works wi me in Brochie's."

His box wisna jerry-built like the furst ane, and he wis able tae get it tuned in tae the weh Muggie spoke.

"What is this place?" he asked.

"This is the Baxter Park, and Eh'm warnin ye, ye'd better no be here on Monday when the ranger comes roond. He'll be fell put oot when he sees whit yer wee cairtie there's done tae his grass."

"We have no desire for aggression," he said. "We come in peace."

"Eh, and ye'll go in pieces if he catches ye," said Muggie. Then she noticed that the first lad wis lyin on his back, wrigglin aboot wi his feet in the air.

"Hey, whit's wrang wi yer pal?"

The ither ane bent doon tae hear whit his freend wis sayin, then he stood up and looked at Muggie fell funny.

"My companion wishes to inform you that he has developed a strong affection for you. He wishes you to return with us to our home planet to be his mate."

Muggie looked doon at the purple face wi the red ee winkin awa at hur. She wisna rotten aboot it nor nuthin.

"Thanks aw the same pal, but yer no meh type. Mahve never wis meh colour."

mauve

Cargoes

Robert Johnson

six-oared fishing boat

young ling

Sixareen fae Feddaland,
Back ower fae North Roe,
Rowin hom troo Yell Sound
In a six-knot tide;
Wi a cargo o haddocks,
Tusk, cod, an olicks,
Turbot an smaa skate, piled up da side.

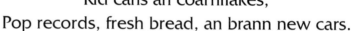

Ful loddit North Boat,
Juist oot o Aiberdeen,
Ringin bells fir high tea,
Openin da bars;
Wi a cargo o tourists,
Rid cans an coarnflakes,
Pop records, fresh bread, an brann new cars.

Eighty thoosan horsepower,
Loddit up at Norscot,
Hammerin fir da Brent Field
Wi a fu deep freeze;
Wi a cargo o drill pipes,
Weldin gear, machine spares,
Air tanks, drunk Yanks, booze an duty frees.

DA BELTANE FOY

John J Graham

A crowd of about twenty to thirty had already begun to gather in the thickening darkness around the black mound of the Everabister bonfire when Hansi and Martha arrived. Erty had built it on a knowe just north of the houses and was still piling on anything that would burn: half-rotted pieces of driftwood, old taek from roofs, heavy skyumpies from the peat-stack. As he moved round adding the final touches to his handiwork, he was followed by a group of youngsters clamouring to know when he was going to light up.

"It's dark eneuch noo. Can you no set lowe til him?" came an eager voice.

"Na, my boy, he's no just fairly ready yet," Erty replied, weighing his words with the care of a connoisseur. He liked bairns and teasing them to frustration was his way of giving an edge to their enjoyment.

He carefully placed a muckle skyumpie on the top then stepped back to survey the effect. The young ones sensed the time had come and waited silently his confirmation.

"Noo dan," he said, relishing the moment, "I tink he's ready noo." There was a pause. Then, with a tantalising tilt of his head, he said:

"He's dat boannie – it's a peety we hae ta burn him."

"Oh no!" wailed the youngsters, and Erty laughed: "Yea, we'll laekly hae ta burn him richt eneuch. Just you wait here till I git a licht."

He hurried off towards the house to reappear shortly carrying a lowein peat in a pair of tongs. The bairns cheered as the chunky, bow legged figure approached, the spunks spraying from the fiery brand into the darkness. He set the brand to the weather side of the bonfire and a young man shouted: "Watch dee whiskers, Erty!"

Soon the flame began to lick upwards and within moments the bonfire was ablaze lighting up the rim of faces around it.

As Hakki watched he felt himself being gripped by a powerful sensation. The rage of the fire flinging back the shadows, the lit faces round the edge of the dark, the feeling of some gathering of strange forces all held him rapt. An excited, "Hakki! Hakki!" by his·side jerked his mind out of its blankness. It was Hansi, eyes gleaming in the firelight.

"Is dat no a braa fire?" he said, then rattled on: "Efter he's brunt doon a bit, does du ken what we ocht ta do?"

"No," Hakki replied, blankly.

Margin glossary:

hillock

thatch, turfs

light

big

Now then

burning

sparks

"Jimp richt ower da heicht o'im. Du minds last year we jamp owre een o da sides, but dis time I'm going to loup clean owre da middle. Is du game?"

"Does du tink we'd manage it?" Hakki said. "He's a braa muckle fire."

"Of coorse we will. An," lowering his voice, "does du ken dis?
Scritt an some o da Heglabister boys are here. We'll shaa dem wha can jimp da best."

Hakki was all attention. "Is Scritt raelly here? Whaar aboots?"

"Looks du," said Hansi. "Owre yunder wi da Tamson boys fae Kergord."

"I dunna ken what's pitten dem here da nicht," Hakki said. "Lookin for trouble, nae doot."

"An see at du keeps oot o trouble," interjected Martha who had been standing quietly by. "Onywye," she continued, "I'm goin owre ta spaek wi da Graven lasses. Look after deesel noo."

"Of coorse I will," muttered Hakki, annoyance in his voice.

"Never leet her, Hakki," said Hansi. "Dis lasses are aa da sam."

They moved off to reconnoitre the situation. The youngsters were milling around the fire making brave swoops towards it then retreating with skirls of excitement when threatened with flying spunks. The older folk stood and talked, occasionally warning the bairns to watch themselves. As the blaze dwindled some of the more daring of the boys began jumping across the fringes of the flames. Loupin da Beltane Fire was considered an achievement and an assurance of luck. Even fathers jumped with young children in their

remember
jump

know

yourself

heed, same

Jumping

46

arms. The bigger boys and young men circled the fire weighing up their tactics. To clear its centre was a mark of physical prowess, a much prized honour. There was a concentration of activities at the weather side.

"Looks du," said Hansi. "Scritt is gittin ready ta hae a go."

small

Scritt, tall and spindly, was being urged on by a group of peerie boys, and was preparing himself for a jump. He stood clear above the others and was making the most of the attention he was receiving.

"Git yon peerie boy oot o da rodd!" he shouted, then when the way was clear, made his run. Arms threshing and head back, he raced for the glowing crest of the blaze but at the last moment angled his leap so that he cleared the shoulder. A mutter of disappointment came from his Sooth Weisdale friends.

afraid

"What's wrang wi dee, Scritt?" Hansi shouted. "Faerd du gits dee tail brunt?"

Your bum's bigger than your trousers

Scritt ignored the taunt and, head down, walked back to his friends. One of them jeered: "Dy sheeks is bigger as dy breeks, Hansi Tait! Why does du no loup da fire?"

The challenge was taken up by a group of peerie boys from Upper Weisdale: "Yis, Hansi, come on! Du shaa dem!"

show

Hansi glanced at Hakki, a glint of devilment in his eyes.

"Hae a go," Hakki said, "an I'll follow dee."

Hansi threw a defiant look at Scritt and his friends then, with fists clenched and head down, ran for the fire. Hakki held his breath as his friend raced forward. Then, just as Hansi was gathering himself for the spring, a piece of burning wood slipped with a shower of sparks and fell in his path. A gasp came from the crowd and Hakki stiffened as he saw Hansi desperately try to check his stride. He slewed to the left, missed the falling brand, but the impetus of the run took his rivlined feet through the edge of the fire. The crowd had fallen silent and as Hansi walked back, limping slightly, Scritt's voice chanted:

sealskin-shoed

"Coordie, coordie, claa me nail, I'm a man an du's a snail."

Hakki stepped forward to meet Hansi, hunched and disconsolate.

mind, show

"Never leet, Hansi. Du coodna help it. Wait du here an I'll shaa dem."

As he moved a few feet back to give a better run-up, a voice from the Sooth Weisdale crowd chanted:

broody eider duck

"Hakki Hunter, clokkin dunter, laid his eggs i da hert o winter."

The chant was taken up by the others, a chant Scritt had often taunted him with at school. Hakki felt a black fury rising within him. A blur of memories came flooding back – of Scritt bloodying his nose and the thick trickle in his throat, of Scritt jabbing him in the behind with a pin so that he shouted involuntarily and got the tawse from the teacher, of many other insults and humiliations. He braced himself. He would show them, not just for his own sake but for the Upper Weisdale boys.

"Go on, Hakki!" Hansi urged. "Du can do it."

He began his run and as he started something inside him told him he could do it. The glowing mound no longer daunted. He raced towards it, every muscle tensed for the leap. He reached the charred fringe, gathered himself for the spring, then launched into the air straight for the crest of the fire. He felt the wafts of hot air around him, the smoke in his eyes and throat, and then the dunt of his feet – from all around rose the cheers. His whole being was at such a stretch of excitement that he walked back in a daze, barely aware of the buzz around him.

Hansi came to meet him, feet dancing off the earth in his glee: "Boy, Hakki, du fairly cleared him." The peerie boys were around him, faces raised in admiration. Scritt and his cronies turned their backs, sniggering over some secret joke. Hakki looked to his left and for a moment caught Jessie looking across at him. She smiled as their eyes met and in the instant he turned away, blate but warm in the knowledge of her approval.

Several others louped the fire but only two more cleared it at its height – Gibby Anderson from Kergord, a 19-year-old Faroe fisherman, and Lowrie Tait, Hansi's cousin, noted for his strength and dexterity. As it burned lower, the young ones began jumping and as they jumped their spirits soared to a pitch of excitement and mischief-making. There was teasing and name-calling, especially between the boys of Upper and Sooth Weisdale. Haki and Hansi were drawn to a cluster of skirlin bairns. It turned out to be Mad Mary Louttit who was the object of their attentions, Mary, one of the quarter-poors who stravaiged the parish seeking shelter in but-end, barn, or wherever folk could find a place for them to lay their heads. These poor wandering bodies moved in a strange kind of limbo on the fringe of the community. Often eccentric, sometimes demented, they carried around with their rags a robe of mystery. Mad Mary with her violent outbursts was one the bairns feared and it was only in numbers that they gained confidence to face her. Her man had been pressganged soon after their marriage and she had given birth to a stillborn bairn three months later. It had turned her mind and now she wandered the parish from house to house carrying with her a burden of oaths, maledictions and strange utterances. She now stood in the midst of a bedlam of boys, a tall, raw-boned woman with an old, battered kishie on her back.

strap

thud

shy

shrilly laughing

wandered, outer end of a cottage

straw basket

Deep chested and broad of beam, her ample contours were enlarged with layers of tattered skirts. She wore a battered felt hat under a black shawl. The bairns chanted:

"Mary, Mary had a canary up da leg o her drawers."

As they chanted, her body crouched and she raised a threatening staff. The chant was repeated, a hint of fear lending it a shriller note. The chant came again, louder and shriller, but they had just got the first line out when Erty broke through the ring and rounded on Mary's tormentors:

pups

"Aff wi you, you whalps at you are, an laeve Mary alane.*"*

It was said in a firm, controlled voice but with an edge of anger that quelled the bairns. As they melted away into the darkness, Mary moved slowly over to the fire. She turned her back to the now smouldering embers, drew herself to her height and with a defiant shake of her staff, shouted into the night:

sure and painful

"Da curse o da maiden is siccar an sair, but da curse o da weedow is ten times mair."

The words, coming from the dark figure silhouetted against the dying embers, sent a shiver through Hakki. She lowered the staff, leaned her weight upon it and, peering into the darkness, said in a low, thick voice:

"Der some o you da nicht at'll hae nedder fire or hoose by anidder Beltane."

The words hung in the silence that had fallen on everyone. Nobody moved; then Erty went over to Mary:

"Come awa inside, Mary," he said, "an du sall hae something i dy mooth as weel as da rest."

She mumbled something and with a glance that swept round those remaining, set off with Erty for the house.

Hakki looked at Hansi and was tempted to laugh off the eerie feeling Mary had cast over him, but Hansi was in first:

bad mood, salt

"Mary is in a richt tirse da night. I doot Uncle Erty'll hae tae pit saat apon her tail."

Hakki smiled. Hansi had a light, glancing way of dismissing difficult moments. They headed down for the Everabister dwellings and the beginnings of the Foy.

(**An extract from** *Shadowed Valley*, **a novel based on the Weisdale evictions**.)

BEASTIES

Helen B. Cruickshank

Clok-leddy, clok-leddy
Flee awa hame,
Your lum's in a lowe,
Your bairns in a flame;
Reid-spottit jeckit,
An polished black ee,
Land on my luif, an bring
Siller tae me!

Ettercap, ettercap,
Spinnin your threid,
Midges for denner, an
Flees for your breid;
Sic a mischanter
Befell a bluebottle,
Silk roond his feet–
Your hand at his throttle!

Moudiewarp, moudiewarp,
Howkin and scartin,
Tweed winna plaise ye,
Nor yet the braw tartan,
Silk winna suit ye,
Naither will cotton,
Naething, my lord, but the
Velvet ye've gotten.

chimney's on fire

palm
money

flies
misfortune

throat

digging and scratching

THREE GLEG CRAITURS

William J. Rae

stretch

stay
snuggle

inside, empty

next, a long time ago
number

flying
arrived at

long ago, built
clothes line
snug
falling heavily
drenched
made, shivering
without

extraordinarily
dozed, once more

size
bigger than

begged, smart
than ever

taking notice
roof
food, as well, hoped
throw, a few

glimpse

Ae mornin Rusty the robin gied his wings a bit rax, tuik a quait yawn, and said tae himsel: "It's sic a cauld day o snaw, I think I'll juist bide in the day. I winna gang oot ataa. Aye, and mair nor that, I'll courie doun and hae anither sleep."

Rusty's hame wis inowre the tuim shell o a coconut. The coconut had been clappit tae the trunk o a tree in the gairden neist tae oor ane. Mrs Laing had pitten it there a gey while sin. At yon time, it had been fou o white flesh, and a hantle o birds had peckit at it. Suin they had peckit it fell clean. Rusty had been fleein owre the sea frae anither countra in thae days. Sae whaun he won tae Mrs Laing's gairden, the coconut shell wis tuim.

Insteid o bein mad aboot it, he had been richt pleased. You see, he wisna seekin efter meat at yon time: it wis a hame he wantit. He mindit hou langsyne his Dad had biggit a nest inowre an auld hat. The hat had been hingin aside a claes-line. Rusty had been born in't and richt snod it had been. But nae aa the time … Whaun it wis rainin or dingin-on snaw, the hat wad grow aa weet and droukit-kind. And sae wad the twigs and feithers inowre it. That gart Rusty and his brithers tak tae chitterin and they couldna get sleepit for't. They were babbies, athout ony muckle, warm feithers, but wi juist saft, fluffy down on them.

Sae, on yon cauld mornin o snaw whaun he bade inowre his coconut shell, afore he gaed aff tae sleep aince mair, he said tae himsel: "By jings, I think I maun be mair wyce nor my dad wis. Richt eneuch, I maun be. For this coconut shell winna grow weet and droukit-kind like yon auld hat." And byordinaur pleased wi himsel, he dovert owre aince mair.

Whaun he wis weel aff tae sleep, he had a dream. He dreamt that the coconut shell had grown tae a muckle bouk: three or fower times mair wallopin nor it really wis. It had turnt intae a coconut shell palace and he had become king o aa the robins. The ither robins had priggit wi him to be their king wi him bein sae gleg, you see. Rusty felt mair pleased wi himsel nor iver.

Nou whaun the robin wis sleepin in his coconut shell, Spurgie the sparrow wis takkin tent o the gairden frae his nest juist aneth the ruif o Mrs Laing's hoose. Spurgie wis sair hungert, and wi the want o meat, the craitur wis awfu cauld anaa. He howpit that Mrs Laing wad suin apen her back door and shy oot a puckle crums. Gin she wad dae that, he wis shair he could get them. He had catcht a glisk o Rusty takkin a bit yawn and glowerin up, and he kent the robin wis sleepin aince mair. Rusty didna like

Spurgie bein in yon gairden. Like aa robins, he threipit that whaur he bade maun be *his* grund. He could be richt coorse wi ither birds there.

Forby, Spurgie kent that McWhiskers, Mrs Laing's cat, had gane awa somewey. McWhiskers wis a tink o a cat. He was aye seekin tae catch Spurgie, or Rusty, or ony bird that cam tae the gairden. But the sparrow had seen McWhiskers come oot at the back door and gang aff roond the gale o the hoose.

Sae, nae lang efter, whaun Mrs Laing did come oot and pit doun a skimmerin o crums, Spurgie kent he wis safe. Rusty wis sleepin and McWhiskers wad be hyne awa in the streets. The sparrow cam fleein doun richt quait-like and creepie-creepit owre tae the crums. He wantit tae be shair o nae waukenin Rusty. Whaun he wis gollopin doun the crums, he thocht tae himsel: "I'm a richt smart chiel. I bade waukent whaun Rusty sleepit, and I tuik tent o McWhiskers nae being here. Ken this? I'd caa mysel a richt cliver sparrow."

But McWhiskers hadna gane stravaigin in the streets. Whaun he had fund hou cauld it wis ootby, he had gane roond the gale o the hoose and had waitit nae faur frae the front door. Syne, whaun Mrs Laing had apened it tae come oot, he had nippit inowre aince mair. And nou he wis streikit oot afore a bonny, lemin fire, and wis sayin tae himsel: "Hou wyce I wis tae come in and hae the pleisure o this fine het fire. Nae bird wad be sae glaikit as tae come doun in the gairden the day whaun it's sae cauld."

Sae ilk ane o the three – Rusty, Spurgie and McWhiskers – thocht hou gleg he had been. But aiblins nane o them wis sae wyce as he thocht. Whit dae *you* think?

argued
nasty

Besides
thug

end

sprinkling
far away

gobbling
stayed awake
took care

wandering

stretched out
glowing

stupid

each one
perhaps

The Bubblyjock

Hugh MacDiarmid

It's hauf like a bird and hauf like a bogle
And juist stands in the sun there and bouks.
It's a wunder its heid disna burst
The way it's aye raxin its chouks.

Syne it twists its neck like a serpent
But canna get oot a richt note
For the bubblyjock swallowed the bagpipes
And the blether stuck in its throat.

Turkey

an ugly or terrifying demon
retches

stretching, cheeks/jaws

Then

bladder

The Puddock

J M Caie

A puddock sat by the lochan's brim,
An he thocht there was never a puddock like him.
He sat on his hurdies, he waggled his legs,
An cockit his heid as he glowered throu the seggs.
The bigsy wee cratur was feelin that prood
He gapit his mou an he croakit oot lood:
"Gin ye'd aa like tae see a richt puddock," quo he,
"Ye'll never, I'll sweer, get a better nor me.
I've femlies an wives an a weel-plenished hame,
Wi drink for my thrapple an meat for ma wame.
The lasses aye thocht me a fine strappin chiel,
An I ken I'm a rale bonny singer as weel.
I'm nae gaun tae blaw, but the truth I maun tell —
I believe I'm the verra MacPuddock himsel."

A heron was hungry an needin tae sup,
Sae he nabbit the puddock an gollup't him up;
Syne runkled his feathers: "A peer thing," quo he,
"But puddocks is nae fat they eesed tae be."

haunches

sedge
conceited, creature

If, said

than
families, well supplied
throat, food, belly
well-built person

going, boast
chief of all frogs

eat
grabbed, gobbled
Then wrinkled
not what they used to be

AN GIOMACH

Na aonar
a' spàgail
anns an dorchadas
dhomhainn,
a' sealg gu
mionaideach
airson an ath
bhiadh.

Sgiobalt agus
pròiseil, tha

e ri dèanamh
a shlighe
am measg

nan claisean
's nan
cnapan.
Na sùilean

beaga
biorach aige
ri gabhail
ùidh

anns a h-uile
gluasad,
's e na aonar
a' spàgail

anns an dorchadas.

Leabhran Sgoil MhicNeacail 1978

THE LOBSTER

Alone
trudging
in the deep
darkness
carefully
hunting
for the next
meal.

Neat and
proud, he

makes his
way
amongst

the dips
and
the mounds.
His small

sharp
eyes
take
note of

every
movement,
while he is alone
trudging

in the darkness.

Nicolson Institute School Magazine 1978

DORIC-REGGAE-SPIDER RAP

Zippin up an doon a string
A yo-yo daein the Heilan fling.
Pit-mirk's ane o Dracula's dothers
Legs in aa the airts
Like an octopus's oxters.
Aa drapt stitches,
Yon's her wyvin,
Etts mochs an midgies,
Wippit up in slivverin.
Forkietails for brakfast,
Flechs for tea;
Aa washed doon wi
Hornygolloch bree!
Stauns in the bath like a tattiebogie,
Maks me shakk like a feart auld fogie.
Spider, jiggin on a traicle drum –
Paradiddle, paradiddle,
Prum, prum, PRUM!

Sheena Blackhall

Pitch-dark, daughters
all directions
armpits

weaving
Eats, moths
Wrapped, slaverings
Earwigs
Fleas

Earwig juice
scarecrow
frightened
treacle

Thomas the Rhymer

TRUE THOMAS lay on Huntlie bank,
strange sight   A ferlie he spied wi his ee,
And there he saw a ladye bright,
Come riding doon by the Eildon Tree.

Her shirt was o the grass-green silk,
cloak   Her mantle o the velvet fyne,
each tuft   At ilka tett o her horse's mane,
Hung fifty siller bells and nine.

True Thomas, he pull'd aff his cap,
bowed   And louted low down to his knee,
"All hail, thou mighty Queen of Heaven!
For thy peer on earth I never did see."

"O no, O no, Thomas," she said,
"That name does not belang to me,
I am but the Queen of fair Elfland,
That am hither come to visit thee.

Play your harp and sing   "Harp and carp, Thomas," she said,
"Harp and carp alang wi me,
And if ye dare to kiss my lips,
Sure of your bodie I will be."

Whatever happens, good or ill,   "Betide me weal, betide me woe,
That fate, never frighten me   That weird shall never daunton me."
Thereupon   Syne he has kissed her rosy lips,
All underneath the Eildon Tree.

"Now, ye maun go wi me," she said,
"True Thomas, ye maun go wi me,
And ye maun serve me seven years,
Thro weal or woe as may chance to be."

She mounted on her milk-white steed,
She's taen true Thomas up behind,
And aye, wheneer her bridle rung,
The steed flew swifter than the wind.

O they rade on, and farther on,
The steed gaed swifter than the wind,
Until they reach'd a desert wide,
And living land was left behind.

"Light down, light down, now, true Thomas,
And lean your head upon my knee;
Abide and rest a little space,
And I will shew you ferlies three.

"O see ye not yon narrow road
So thick beset with thorns and briers?
That is the path of righteousness,
Though after it but few enquires.

"And see ye not that braid braid road,
That lies across that lily leven?
That is the path of wickedness,
Though some call it the road to heaven.

must

Dismount

broad
field of daffodils

"And see ye not that braid braid road,
That winds about the fernie brae?
That is the road to fair Elfland,

must
Where thou and I this night maun gae.

"But, Thomas, ye maun hold your tongue,
Whatever ye may hear or see,
For, if you speak word in Elfyn land,
Ye'll neer get back to your ain countrie."

O they rade on, and farther on,

above
And they waded through rivers aboon the knee,
And they saw neither sun nor moon,
But they heard the roaring of the sea.

dark, starlight
It was mirk mirk night, and there was nae stern light,
And they waded through red blude to the knee;
For aa the blude that's shed on earth
Rins through the springs o that countrie.

Afterwards
Syne they came unto a garden green,
pulled
And she pu'd an apple frae a tree.
"Take this for thy wages, true Thomas;
It will give thee the tongue that can never lie."

"My tongue is mine ain," true Thomas said;
"A gudely gift ye wad gie to me!
dared
I neither dought to buy nor sell,
market
At fair or tryst where I may be.

"I dought neither speak to prince or peer,
Nor ask of grace from fair ladye."
"Now hold thy peace!" the lady said,
"For as I say, so must it be."

smooth
He has gotten a coat of the even cloth,
And a pair of shoes of velvet green,
And till seven years were gane and past,
True Thomas on earth was never seen.

The Bogle

W D Cocker

There's a bogle by the bour-tree at the lang loan
   heid,
I canna thole the thocht o him, he fills ma hert wi
   dreid;
He skirls like a hoolet, an he rattles aa his banes,
An gies himsel an unco fash to fricht wee weans.

He's never there by daylicht, but ance the gloamin
   faas
He creeps alang the heid-rig, an through the
   tattie shaws,
Syne splairges through the burn, an comes sprachlin
   ower the stanes
Then coories doun ahint the dyke to fricht wee weans.

I canna say I've seen him, an it's no that I am blin,
But, wheneer I pass the bour-tree, I steek ma een
   an rin;
An though I get a tummle whiles I'd raither
   thole sic pains,
Than look upon the likes o *yon* that frichts wee
   weans.

I daurna gang that gait ma lane by munelicht or
   by mirk,
Oor Tam's no feart, but then he's big, an strang
   as ony stirk;
He says the bogle's juist the win that through the
   bour-tree maens.
The muckle gowk! It's no the win that frichts
   wee weans.

Scots	Gloss
	ghost, elder tree, top of the long track
	bear
	dread
	howls, owl
	takes great trouble to frighten
	once, twilight
	falls
	top of ploughed land, potato plants
	splashes, tottering
	crouches, behind
	blind
	shut my eyes
	run
	fall from time to time, endure such
	way by myself
	in the dark
	scared
	bullock
	wind
	moans
	The big fool!

black friday

James Copeland

Below

Oot behind a lorry,
Peyin nae heed,
Ablow a doubledecker,
A poor wean deid.

trainers

Perra worn sannies,
Wee durrty knees,

here's the

Heh, erra polis.
Stand back please!

Lookit the conductriss,
Face as white as chalk.
Heh, see the driver but,
Canny even talk.

Anyone a witness?
Naw, we never saw,
Glad ah'm no the polis,
Goin tae tell its maw.

leaning out of windows

Weemin windae-hingin,
Herts in their mooth,

entry to a tenement

It's no oor close, Lizzie,
Oh Gawdstrewth!

Screams on the landin,
Two closes doon,
It's no wee Hughie!
Poor Nellie Broon.

Phone up the shipyard,
Oh, what a shame,
Yes, we'll inform him,
Please repeat the name.

See Big Hughie,
Jokin wi the squad.
Better knock aff, Hughie,
Oh dear God.

Whit – no his lauddie?
Aw, bloody hell!
D'ye see Hughie's face but,
He's jist a boy himsel.

The Wuid

John Burns

"Hey cmon an we'll gaun an see whaur they're gaun," said Allan, noddin efter the big boys as they lowpt the dyke at the fuit o the village.

"I bet they're gaun tae the Wuid. They'll hemmer us gin they see us." Iain wasna shair gin it was wyce tae folla them.

"Aye, but they'll no see us, will they? We'll gie them time tae get gaun an then we'll gaun alang the back o the dyke."

"Right."

The twa boys lookt quick tae see if their mithers were watchin, but there was naebody tae be seen bar auld Granny Gourlay staunnin gowkin at her door. They gaed ower tae the ither side o the street tae get by her for Iain was feart o her. She had a runkelt auld face an a hairy mou – she'd a better moustache than Tam MacCormick his faither aye said – an she was aye tryin tae get ye tae gaun messages for her. When ye got back wi't (it was aye tobacca she wantit) she wad gie ye a kiss an a thripenny bit. Her hands were aye sticky an her nails were black wi howkin at the tobacca. When she kisst ye it smelt o tobacca, an anither sweet smell that aye hung on her braith.

She shoutit ower the street tae them, but the boys juist lookt awa an gaed on by.

go/going
leapt
if

except, staring

wrinkled, mouth

poking

went

got to

brilliant

narrow

top
glance
nimbly, climbed, gate
behind

fell, wobbly, cattle, Once
peer

vanished

jump, soft mud
sky
hawk

When they won tae the thirty signs at the fuit o the village they stoppt for they werna supposed tae gaun by them. They stood aside the dyke an lookt up the village. There was somebody staunnin talkin tae Granny Gourlay but they couldna see wha it was. They kent it wasna either o their mithers, though, sae they leaned ower the dyke tae see whaur the ither boys had gane.

At first they couldna see them but then Allan pickt them oot, haudin close bi a dyke twa fields awa. They were cairryin on as usual, chasin an punchin each ither, but they were heidin for the Wuid richt eneuch.

The Lang Wuid was the enn o Iain's warld. It curvit roun the tap edge o the fields an ye could see naethin ahin it bar the gret dark blue waa o the hills. Merrick, Corserine, Carlin's Cairn. The names o the hills hauntit him for he had heard aa the men at the cross talkin aboot them at nicht. Some o them had been there an tellt stories aboot how wild they were. Some day, he thocht, he wad gaun tae. The fields were spreid oot below the wuid in patches o different colours lik the big cover on his granny's bed – green an broun an yella squares were hemmed in bi the grey stane o the dykes or the blinterin white o a haathorn hedge. The Slackie burn made its wey doon frae the hills throu the Lang Wuid whaur the boys played an gaed on doun tae the Dee. The Dee was ower far awa an ower dangerous for the boys tae play near, but the Slackie wasna wide or deep. It was nerra an frienly.

"Right, cmon. They canna see us noo," said Allan as he saw the boys gaun throu the brokken dyke intae the tap field.

The twa boys took a quick skeich up the street tae see gin onybody was watchin then glegly they sclimmed the yett an won intae the field. They ran alang ahin the dyke, bent ower tae keep their heids doon oot o sicht. It was gey sair but it was funny tae an they laucht as they ran, an yince or twice cowped on a shoogly stane or on the ruttit grunn the kye had trampt. Yince they stoppt tae keek throu the grey lichened stanes o the dyke an could see the ither boys thrawin stanes at the big flat cakes o dung that lay aboot the field, thrawin up gret spatters o muck at yin anither.

"D'ye ken auld Jock Tamson frae Mid Ferm?" Allan asked.

"Aye."

"My faither said he drappt his bunnet in yin o his fields an tried on fower ither yins afore he fund the richt yin."

The boys lay on the grass ahin the dyke killin themsels at this pictur o the fermer wha was aye sae pernicketty aboot the way he dresst. When they gied anither keek throu the dyke the ither boys had gane, had santit intae the wuid lik ghaists.

Aathin was quate.

Iain an Allan looked at yin anither an stertit tae crawl alang ahin the dyke, keepin doun an makin nae soun, juist lik Hawkeye on the telly. Yince they had tae jouk quick ower the glaur roun a yett tae win intae the cover o the dyke again. Iain thocht they war bound tae be seen as he hung there agin the lift lik a huntin gled.

Far awa in the distance he could hear the boys as they·gaed rinnin throu the wuid.

Syne the twa boys won tae the edge o the wuid themsels an wi a quick look ahin them they lowpt the brokken dyke an gaed in.

Inside the wuid it felt closed in and sheltert efter bein in the fields unnerneath the open lift. Owerheid the wind rustled the leafs an licht sclintert doun in quick bricht glisks. Birds sang in the leafy branches. The moss unner their feet was starred wi primroses an was that licht an springy Iain thocht he micht flee off it richt up throu the trees, throu the glisks o licht an clear intae space.

But afore he could even stert tae rin, twa boys lowpt oot frae ahin some trees an warselt Iain and Allan tae the grunn.

"Whit're ye daein here?"

"Does yir mammy ken yese're oot?"

"Think ye can play wi the big boys, eh?"

"Leave me alane," said Iain, his face pusht richt doun intae the moss bi Geordie Lang wha knelt on his back an twistit his airm richt up his back.

"Leave ye alane? I havnae duin ocht tae ye yet."

"Bastart. That's sair. Aaaah."

"Oh sorry, son. Ma hand slippt."

The rest o the big yins stood roun lauchin as Iain an Allan tried tae win awa frae the boys that had a grupp o them.

"Aye well, boys," said Big Sanny Brown, when they got seek o pushin the twa boys aboot. "Yese'll have tae pass the test gin ye want tae play wi the big boys, eh? Leave them go, youse twa."

The boys were flung thegither an the big yins made a circle roun aboot them. They were feart, an Iain was kinna greetin tae himsel though he tried no tae let onybody see.

"I think we'll have tae gaun tae the Swingin Tree, eh boys?"

"Aye. We'll see how big they are then. Wee bastarts."

The twa boys lookt at yin anither. They had heard o the Swingin Tree afore but didna ken whaur it was.

They suin fund oot for they were maircht ower tae the far side o the wuid an alang the side o the burn till they cam tae a nerra bit ablow a steep bankin whaur a branch frae yin o the trees raxt oot ower the burn gey near tae the ither side.

Richt awa some o the ither yins stertit tae speil up the tree an swing oot ower the burn. While they did that their friens stertit tae shoogle the branch an laucht and skreicht at the boy hingin furthest oot ower the burn an heidin for the tither side. The boy hung on ticht an shoutit back at the ithers tae shaw that he wasna for faain in. At the far enn o the branch he had tae kinna swing a bit sae he could be shair o makkin the bank. He made it an turnt roon an gied a V-sign tae the rest wha juist shoutit an threw sticks an stanes an dauds o glaur at him as he scrammelt up the bankin.

"See that?" said Sanny. "That's what ye have tae dae gif ye want tae play wi us. That richt, boys?"

He turnt an laucht at the ithers as he said this an they sniggert at Iain an Allan lik a pack o hyenas. They were enjoyin this. Iain could juist aboot see them lickin their chops.

---

pulsed, glances
soft

wrestled

anything

tired
if

frightened, crying

where

stretched

clamber
shake
yelled

falling

lumps

yob

very

dodging

thumped

They pusht Allan ower tae the tree an made him climb up on tae the branch.

"Gaun on then. Let's see if ye're sae big noo," said Sanny. "Move, ye wee nyaff." He pokt a stick at Allan wha had tae move further oot on the branch tae get awa frae him.

They aa watcht as Allan edged oot alang the branch, tryin tae hing on tae it wi his airms an legs baith.

"Swing, ye bastart! Get yir legs doon."

At this they stertit thrawin things an Allan gey near fell off but managed tae hing on an get richt tae the enn o the branch an swing himsel doon on the ither side. He turned and grinned an jabbed the air wi his fist, gey pleased wi himsel. He got the same treatment as the ither boy that had made it afore him, sae that he had tae rin awa joukin the sticks an stanes an glaur that cam fleein efter him. Iain's hairt sank as he saw him rin intae the trees.

The hyenas turnt tae him.

"Oh look, there's only this wee yin left. Is that no a shame? His mammy'll wunner whaur he is. Specially if he's drooned, eh?" Wi that Big Sanny shoved his face richt up tae Iain's an glowered at him, tryin tae frichten him.

He didna need tae try, for Iain was gey near greetin an could hardly speak.

"Leave me alane."

Sanny cloured him on the side o the heid.

"C'mon, its your turn noo. We'll no throw ocht at ye. At least no till ye get stertit."

Iain focht back the tears but he could hardly see as he stertit tae sclim

slawly up intae the tree. His legs were shakin, an he couldna breathe richt. He thocht he micht faint. He couldna believe this was happenin tae him. He wantit tae gaun hame.

Slawly, he gaed oot alang the branch, tryin lik Allan tae stey on the tap o't. He could hear the skreichs o the big boys tellin him tae pit his legs doon an swing, but he didna heed them. He presst his face agin the hard bark o the branch an hung there heich abuin the burn that ran ablow him blue an grey an cauld.

He snifftered tae himsel then gied himsel a heize tae win further alang the branch.

"Lassie boy! Lassie boy!" he could hear the ithers chantin at him as they stertit tae swing the branch.

He hung on ticht and shut his een but the swingin an the shoutin an the tichtness he felt inside forced his fingers apairt an he hung there for a meenit upside doon abuin the cauld watter o the burn afore he fell heid-first intilt wi the lauchs o the boys dirlin in his lugs.

He stood up spittin oot watter an straggilt back tae the bank. Throu his hot stingin tears he could see aa the boys rin awa frae him noo that they'd had their fun.

He stood shakin on the bank. Aabody had gane, meltit intae the wuid. He was on his ain. Even Allan had run awa.

He sobbed loudly an gied an incoherent shout intae the hairt o the wuid. He didna ken what tae dae. It was still bricht an sunny, but he was chitterin for his claes were soakin. The cauld wetness was lik the grup o the watter ettlin tae pou him back in.

Aa roun there was naethin but trees an brammles an ither bushes. The licht flichtert an shook afore his een an the wind gaed soughin ower aathin lik the braith o some muckle gret beast that was seekin him oot amang the trees. The thocht garred him shiver an he stood there trummlin; aa the time lookin roun juist in case the beast should shaw itsel. A lauch cam skirlin on the wind frae some far corner o the wuid.

The trees glowered ower him an the tall trunks o the beeches an the elms looked lik they were closin in on him. He could gey near hear them reishlin ower the moss towards him. He wunnert gin the ither boys were hidin quate ahin them, ready tae lowp oot on him again. A sough o wind skift the back o his neck. Iain felt the cauld nose o the beast an wi a skreich ran back throu the wuid.

He lowpt brokken branches an straggly tree ruits, an he lowpt clear across a wee burn, an syne cam tae the brokken bit in the dyke whaur they had got intae the wuid earlier. He stoppt an lookt ahin him, fair pechin. He kent nou that gin he gaed alang the dyke a wee bit an stood on yon wee knowe he wad be able tae see the village an sae win hame.

He had stoppt greetin nou an lookt back intae the wuid. The licht still sclintert throu the leafs an he could hear the birds were still singin though he couldna see them.

He gied a wee smile tae himsel an took off.

---

high

snivelled, heave

ringing, ears

trying

flickered, sighing

made, trembling

rustling
boggy ground, quietly
brushed

panting
hillock

IAIN AGUS NA DROGAICHEAN

Maoilios M Caimbeul

Bha Mgr Og an-àirde anmoch. Cha do chòrd e idir ris gun robh Mgr MacDhòmhnaill air tighinn a bhruidhinn ri clann na hostail. B' fheàrr leis a bhith air bruidhinn riutha e fhèin. An toiseach cha b' urrainn dha a chreidsinn gun robh gin dhe na gillean ri drogaichean.

Ciamar a gheibheadh iad a leithid ann am Port-Rìgh?

Ach a-nise bha dearbhadh aige. Agus bha e na thàmailt dha gun robh e air tachairt ann an hostail a bha an urra ris-san. Chuireadh e cliù na hostail ann an cunnart, gu h-àraidh nam faigheadh na pàipearan-naidheachd greim air.

Bha a' Bhean NicColla dìreach air fònadh bhon ospadal agus i air innse dha gur ann tinn le cus den droga cocaine a bha Derick Moireasdan, no Eaid, mar a b' aithne do na gillean eile e.

Bha e a-nis a' ceasnachadh caraid do Dherick, Coinneach MacLeòid, gille beag leis an fharainm, Sgait. Bha esan na sheasamh agus e a' coimhead gu math duilich air a shon fhèin.

"Tha thu a' dol a dh'innse dhomh gach nì air a bheil fios agad, nach eil?" arsa Mgr Og agus sùil chudromach aige air a' ghille.

"Tha, Sir," fhreagair Sgait le crith na ghuth.

"Tha fhios agad gu bheil do charaid tinn?"

Ghnog Sgait a cheann.

"Agus tha fhios agad dè rinn tinn e?" thuirt Mgr Og le cinnt na ghuth.

Chrath Sgait a cheann agus cha tuirt e smid.

"Well, innsidh mise dhut," thuirt e agus sùil gheur aige air a' ghille. "Bha e a' gabhail cocaine. Tha an t-ospadal dìreach air innse dhomh."

Dh'fhàs Sgait geal.

Cha b' e gille cruaidh a bha ann idir, ach nuair a bhiodh aon no dithis eile air a chùlaibh.

"Falmhaich do phòcaidean," dh' àithn an tidsear.

B' ann gu aindeònach a rinn e sin. An toiseach thug e a-mach à pòcaidean a bhriogais sgian, sreang agus pìosan peansail.

"A-nise do sheacaid," arsa Mgr Og.

Thug e a-mach dà shuiteas, salach le dust agus pìos cailc.

"Tha mi a' cluintinn fuaim pàipeir. Dè am pàipear a th' agad?" dh' fheòraich an tidsear.

"Thoir a-mach e."

Bha Sgait aindeònach agus bha aig Mgr Og fhèin ri a làmh a chur na phòcaid agus am poca pàipeir a thoirt a-mach. Anns a' phoca bha pùdar geal.

IAN AND THE DRUGS

Myles M Campbell

Mr Young was up late. He wasn't at all happy that Mr MacDonald had come to speak to the hostel pupils. He would have preferred to have spoken to them himself. At first he couldn't believe that any of the boys would be involved with drugs. How could they get hold of any such things in Portree?

But he now had proof. And it was an embarrassment to him that it had happened in a hostel that was his responsibility. It would put the reputation of the hostel in danger, particularly if the newspapers got hold of it.

Mrs MacColl had just phoned him from the hospital and had told him that Derek Morrison, or Ed as he was known to the other boys, was ill from an overdose of cocaine.

He was now questioning a friend of Derek's, Kenneth MacLeod, a small lad nicknamed Skate. He was standing, looking very sorry for himself.

"You are going to tell me everything you know, aren't you?" said Mr Young, with a watchful eye on the boy.

"Yes, Sir," replied Skate with a quiver in his voice.

"You know that your friend is ill?"

Skate nodded his head.

"And you know what made him ill?"

Skate nodded his head but said nothing.

"Well, I'll tell you," he said, keeping a sharp eye on the boy, "he was taking cocaine. The hospital has just told me."

Skate went white.

He wasn't a tough boy, only when he had a couple of others to support him.

"Empty your pockets," asked the teacher.

Reluctantly he did so. At first he took out of his trouser pockets a knife, string and bits of pencil.

"Now your jacket," said Mr Young.

He took out two sweets, covered with dust and a piece of chalk.

"I can hear the sound of paper rustling. What have you got?" the teacher asked.

 "Take it out."

Skate was reluctant and Mr Young had to put his hand in the pocket and remove the paper bag. In the bag was white powder.

THE CHRISTMAS STORY

S2 Pupils, Pierowall Junior High School, Westray

Mary Gets Some News

Wan bonny night Mary wis lyin in bed when oot o nowhar a bonny white angel cam doon flappin his wengs. "My whit a flix thoo gied me," said Mary. "Dunno be faird, Mary, me neem's Gabraiel an a'm com doon tae tell thee thoo're lippnin a bairn."

"A'm whit?" said Mary.

"Hid's no ordinary bairn, though. Hid's goin tae be a keeng," said Gabraiel. The bonny angel started flappin his weengs and wheezed and wheezed and wheezed and slowly tuck aff.

The next mornin Joseph cam in and caald tae Mary.

"Leave me alone fir anither oor, a'm still afuly tired."

"Whit's meed thee tired?"

"Oh I might as weel tell thee than," said Mary, "a'm lippnin a bairn."

"THOO'RE WHIT?" said Joseph.

"I said a'm lippnin a bairn," said Mary. "And thoo're no the fethir."

"Weell, WHAR IS THAN?" said Joseph.

Mary geed on tae tell um a that Gabraiel hid heen tae say.

The Journey Begins

Wun bilin day, a wee donki was cockering doon a ca wu a bumph o a lod on his back. Thur was wi him a yung couple, wun ledin wun ridin. They were goin to Bethlehem fur the census.

The woman ridin was pregnant an expectin a bairn very soon. This made the journey even mare lang an knackering.

On the way, a group o punters jumped oot an made the pur donki bummel.

"Yer dosh or yer lives," they bawled.

Joseph walloped the back end o the donki and he careered awa wi Mary hangin on fir grum death. Joseph ran after them in hot pursuit leavin the punters stondin by the side o the road.

At Bethlehem

After twa three days they reached Bethlehem. Mary waz aboot tae hae her bairn so sheu waz in a terrible skitter.

They hed been tae aboot five inns noo and nane o them hed any room. By this time Mary waz pechan like mad. Joseph waz in a right pizzo noo. Aboot five meenits efter this they cam tae the last inn in Bethlehem.

"Oh good grief I hope there's room here," Mary said.

Joseph geed an hammered on the door. A man cam an flung apen the door.

"Yas? Whit deus thoo waant?"

"Wur needan somewhar tae bide," Joseph said. "Deu you hae any room?" he asked.

"Sorry, I doot wae dunno," said the innkeeper.

"Wu'll sleep onyplace," said Mary desperately.

"Weel if you dunno mind sleepan aside the kye and yows you can sleep in the byre."

"That wad deu jest grand," said Joseph thankfully.

Margin glossary:

fright, gave
frightened
expecting

called

went

hot, staggering, road,
huge load) (leading

wearying
rear

state of agitation

panting, predicament

went

stay

beside, cattle, ewes

The innkeeper tuck Mary and Joseph out by tae the byre.
"Here you aar," he said.
"That's a mercy," Mary whessed. "Am gyan tae hae me bairn."

wheezed

The Baby and His Visitors

"My Mary, whit a bonny peedie bairn."
Oot on the hills, three shepherds wur lukkan ower thir yows when an angel cam
and they wur blindered by the lowe.
Jeemy the second shepherd said, "Chee whiz whar did thoo come fae?"
"Ah'm an angel fae Hivin an a've come tae tell thee that a keeng his been born
in a byre in Bethlehem. If thoo wants tae geung an see him, just fullow the star
ap there. Cheerio."
Jeemy, Fergus and Geordie geed fur aff an tuk a peedie lamb wae them.
Aa this time, in Bethlehem, peedie Jesus wis in a manger and wuppid in a
worset gansey tae keep him bonny an warm.
At the palace three wise men sa a great sheenan thing in the sky.
Wan o them said, "Whit on earth is that? Hid's an aafil big star."
They hard a voice coman doon fae the sky that telt them tae fullow the star tae
Bethlehem tae meet a future keeng.
Whin they hard this they grabbed some presents and ran tae their camels.
Whin they got tae the byre whar Jesus wis they fund Mary lyin doon on a
winleen soond asleep. So they gaed the presents tae Joseph an a great gant
cam fae Mary.

wee
ewes
blinded by the light

go

wrapped
knitted jersey
shining

bale of straw, yawn

The Saubbath

Robert McLellan

I LOED LINMILL wi aa my hairt, and wadna hae missed my holidays there for aa the gowd in Spain, but it had ae drawback. My faither aye cam doun at the week-ends, and though I likit him weill eneuch on the Seterday, whan he took my minnie and me for picnics to the Stanebyres Wuids or the Hinnie Muir, on the Saubbath I hatit him, for then he trailed us baith aa the wey to Lanark, to gang to the kirk, and syne hae denner wi his ain folk at the Gusset Hoose.

If it was mebbe the heich stiff collar he wore on the Saubbath that made him so girnie and crabbit, it was the silly claes I had to weir mysell that made the day a misery for me. And o aa the weary Saubbaths that eir I spent, the warst was whaun my minnie dressed me up in a new pair o breeks, wi a jaiket to match, in broun velvet claith, wi a yella blouse an a broun silk tie, wee yella socks like a lassie's, and silly shune wi buttons insteid o laces. For ordinar I wore coorse breeks and a guernsey, and tacketty buits.

The hat, tae, was like a lassie's, a big wide strae affair wi an elastic band that grippit roun the chin. It was ower ticht and hurt me.

I had seen the claes afore, whan they were first bocht. They had come in a box frae Hamilton and my minnie hadna lost a meenit afore tryin them on. But I hadna fasht muckle then because I didnae hae to gang oot in them, and was alloued to tak them aff, as sune as she was shair they were a fit, and gang awa oot and play.

But that Saubbath mornin I kent what I was in for, and dreidit the thocht o hou I wad look. Sae efter my breakfast I slippit oot and gaed awa doun across the Clyde road, and through the waal yett, and into a thick pairt o the waal orchard, amang some ploom trees, whaur I kent there were twa busses o sulphur grosets.

I had the front of my guernsey turnt up, and was fillin it wi the grosets, when I heard my minnie's caa.

I didna let on I could hear.

Her caa cam nearer, sae I slippit faurer doun the orchard to the bank abune Clyde, and hid at the back o some hazels.

It was a mistake, for there was a wee spring waal near at haund, wi caulder watter than the waal faurer up, that was used for ordinar, and my minnie whiles cam to this waal, wi a milk can, for watter to drink, and she had trampit a wee pad through the lang gress.

She cam doun this pad nou, caain my name, and I could hear that she was growin gey angert.

Still I wadna hae let on I heard her, had I no heard ma faither caain tae, and he soondit wud athegither. I kent that gin I didna gie mysell up I wad get a lickin bye the ordinar.

I ged forrit to my minnie with the sulphur grosets. I kent she was fond o them.

'I was pouin ye some grosets, minnie.'

She gied me a queer look, as if she kent I was leein, and took me by the haund.

'Ye'll hae us late for the kirk. Hurry.'

That was aa she said, for I didna think she likit the thocht o the trail to the kirk ony mair nor I did mysell, and whan we came alangside my faither, on oor wey back to the hoose, she pat in a word for me.

'I think he had forgotten what day it was. He was pouin grosets.'

But she took me into the big bedroom up the stair and dressed me in the new claes, for aa that.

Whan we had taen the road, and were walkin through Kirkfieldbank, my faither on ae side o me and my minnie on the ither, on oor wey to the service, I felt like a clippit yowe whan it leaves the fank and stauns hingin its heid in shame fornent its ain lamb, for hauf the laddies o the place were staunin at the brig-end wi naething to dae but stare, and I kent that whan we walkit past them they wad hae a guid lauch.

And shair eneuch, as sune as we drew fornent them there was a lood snicker. My faither and my minnie walkit on wi their heids in the air, but I turnt mine and gied a guid glower.

It just made them waur. There wasna ane withoot a braid grin on his face, and they grinned aa the mair whan they saw I was nettlet.

Then, juist as we had passed them and were on the middle o the brig, I heard ane o them sayin something aboot my lassie's shune, and there was a lood roar. I had juist time to keek roun and fin that the ane wha had spoken was Will MacPherson, whan my faither gied me a teng and telt me to waulk straucht or he wad clowt my lug.

Will MacPherson was juist my ain size. I vowed a wad hae a bash at him the first time I met him by himsell.

It was a wearie walk up the Lanark brae, and we were sair pecht when we won to the tap, but the easin o the brae brocht nae relief, for whan we won to the fute o the Bloomgait we could hear the kirk bells, and my faither streitched his lang legs in case we wad be late. I had to rin, and my minnie nearly burst her hobble skirt.

We won to the kirk door juist as the bells gied their last clap, and my hairt sunk to my shune, for I kent then that the haill congregation wad be sittin waitin, and wad stare at me mair nor ordinar when I gaed past the pews to sit heich abune them aa in my ain chair aneth the poupit. For though ither laddies sat wi their families in the body o the kirk, my faither and mither sang in the choir, and I caaed the haunle that pumpit the air into the organ.

To tell the truith, gin it hadna been for Denner-Time Davie, the meenister, there wadna hae been a body in that kirk o ony importance that wasna syb to me through my faither, for my Lanark grandfaither was the precentor, and conductit the choir wi a wee black stick; my aunt Lizzie played the organ, watchin the wee black stick in a lookin-gless hung aside her music; and my uncle Geordie was an elder and gaed roun wi the plate. My Lanark grannie bade at hame in the Gusset Hoose to hae the denner ready, but she had a haund in kirk maitters tae, for it was she wha made the communion wine, wi Linmill rasps.

As I walkit past the pews in front o my faither and my minnie I felt shair that the haill congregation were splittin their sides, but whan I had won to my sait and lookit doun they aa seemed solemn eneuch, though I could see that Scott the draper and Lichtbody the lawyer were soukin peppermints.

Then I saw that Finlay o Jerviswuid's laddie was haein a fit o the giggles, and I could hae sunk through the flair wi shame.

Finlay's laddie was twice my size. I couldna bash him. I wad hae to gie Will MacPherson a double doze.

clipped sheep, sheepfold
before
bridge-end
laugh
opposite

worse, broad
irritated

look

slap, ear

breathing hard
reached

shoes

high above, pulpit

worked, handle
if
related

stayed

sure

It seemed years afore Denner-Time Davie came in frae the session-room, like a hungert craw in his black goun, to clim to the poupit abune me and kneel doun to pray, and he couldna hae been very shair o his sermon that mornin, for he bade on his knees langer nor his ordinar, askin nae dout for guidance on the akward bits. I had anither look at the Finlay laddie, and whaneir his een met mine he took anither fit o the giggles.

I could hae grutten then, and I canna say I felt very fond o my minnie, though I worshipped for ordinar the very grun she walkit. What wey did she hae to dress me up like a jessie, thocht I, when she kent I had to sit for sae lang fornent sae mony folk.

But Denner-Time Davie rase at last, and I rase tae, to tak my place ahint the curtain at the side o the organ; I was neir sae gled in aa my life to win oot o folk's sicht.

I stertit to caa the organ haunle. There was a wee lump o leid on the end o a string, that drappit as the organ filled wi air, and aye when it was doun to the bottom mark on the side o the organ ye took a bit rest, and didna pump again till it had risen hauf wey to anither mark at the tap, that showed when the organ was tuim.

Weill, I pumpit till the leid was at the bottom mark, and syne sat doun on the organ bench, and insteid o keekin through a wee hole I had in the curtain, as I did for ordinar, to see wha werena singin, I fell into a dwam and thocht o Will MacPherson and the Finlay laddie, and what I wad like to dae to them for lauchin at my silly new claes.

I forgot the wee lump o leid.

I had Will MacPherson flat on the grun, face doun, and was sittin on his back rubbin his neb in the glaur, whan aa at ance the organ gied a keckle like a clockin hen, and stoppit athegither. The singin o the congregation began to dee oot tae, though my grandfaither roared like a bull to encourage the choir, and by the time I had tummlet to what was wrang, and had lowpit for the haunle in a panic, the feck o folk had dried up.

The organ roared oot again, for my aunt Lizzie had keepit her fingers gaun, but I kent I was in disgrace. For the rest o the service, till sermon time, I had my ee on that lump o leid like a craw wi its ee on a gun, but I was in sic dreid o the sermon comin, when I wad hae to sit fornent the congregation again, that I didna fin it easy, and there were whiles when I was in sic a panic I could haurdly dae richt. I was ower eager, and ance when the wecht gaed a wee thing ower laich the organ nearly blew through the rufe.

Whan I gaed oot to my chair again to sit through the sermon, I daurtna lift my heid. I prayed to God that Denner-Time Davie wadna tak lang, but there maun hae been sin in my hairt, for my prayer wasna answert, and the sermon gaed on like a Kirkfieldbank kimmer at her kitchen door. It was aa aboot some burnin buss that didna burn oot, but gaed on lowin and lowin for aa time, and was lowin till that very day. The text was 'Nevertheless it was not consumed'. I had to mind the text, for at denner later on in the Gusset Hoose my grandfaither wad be shair to ask me what it was.

I keepit on sayin ower the text to mysell, and wonerin whan the sermon wad feenish, but still Denner-Time Davie gaed on and on, like the burnin buss itsell, till I thocht the twa were a pair.

It wasna juist the man's dreichness that bothert me. He had a bible fornent him, lyin on a kind o cushion, and he had a habit o thumpin his bible to bring his peynts hame. Ilka thump he gied the bible drave the stour frae the cushion, and it rase in the air and syne settlet, and on its wey to the flair driftit ower my heid, for I was sittin juist aneth him, and it gat into my een, and up my nose, and whiles gart me sneeze. And I didna like to sneeze sittin up there fornent the congregation, for it gart ilka body wauken up and stare.

As the sermon gaed on, though, he lost his first fire, and thumpit at the bible less and less, and in the end I maun hae drappit aff to sleep, for whan he did feenish I didna notice, and had to be waukent by a shake frae my aunt Lizzie.

I was in sic disgrace by that time that I didna care what happened, and through the haill o the last hymn I pumpit the organ like to ding doun the kirk. The singin could haurdly be heard.

When I gaed to the kirk door to wait for my faither and my minnie the folk were aa grinnin at me, and I hung my heid. My minnie, whan she cam forrit, lookit sae disjaskit that I gey nearly saftent, but the crabbit look in my faither's een set my back up again, and I determined to sulk aa day.

Naither o them said a word. They took my by the twa haunds and poued me up the Bloomgait to the Cross, and syne up the Waalgait to the Gusset Hoose, liftin the hat and noddin to this ane and that, as perjink as could be. But I kent by their grip that they were gey sair angert wi me.

The Gusset Hoose stude at the heid o the Waalgait whaur the road dividit into twa, ae brainch gaun oot to the Lanark Loch and syne to Hyndford Brig, and the ither gaun doun to the mills at New Lanark. It was a hoose wi an air to it. It had been a toun hoose at ae time for some laird frae Carstairs, in the days whan the gentry left their ootler castles in the daurk and wat o winter to bide whaur they couid be close to ane another and divert themsells wi parties and cairds.

But for aa its grand air I can seldom think o the Gusset Hoose withoot smellin mince, for I canna mind a Saubbath whan we had ocht else, and the mince aye had rice in it to gar it spin oot. That I could swalla, but the sago that came efter it was mair nor I could stammack. It was like puddocks' eggs in a dub and gart my innards turn.

Whiles, if aa had gane weill in the kirk, and I could reel aff the text whan I was speired at by my grandfaither, I wad be alloued to leave my sago efter a spunefou, and gang oot to the gairden to look at the flouers. But no that mornin. Insteid o speirin for the text whan he came in my grandfaither gied me a glower.

'What was wrang wi ye in the kirk the day? Ye were a fair disgrace.'

He lookit sae awesome in his tail-coat and dickie that I couldna fin a word to say.

My faither turnt on me.

'Answer whan ye're spoken to.'

'The Finlay laddie was lauchin at my silly new claes.'

My aunt Lizzie liftet her een in horror to the rufe, and my minnie shook me till my teeth rattlet.

'Dinna stert aa that nonsense again. Yer claes are gey bonnie. Ye're a luckie laddie to hae claes like thae. I'm shair he is, uncle Geordie?'

My uncle Geordie gied me a glower tae, and turnt to my faither.

'He needs a guid leatherin. Ye're ower saft wi him, John.'

My grannie syne began to speir, and the haill story o the ongauunds in the kirk had to be telt five times to her. By the time she pat the sago in my plate I could thole nae mair. I sat and wadna touch the spune.

My faither took me in ane o the bedrooms and gied me a richt guid lickin.

The rest o the day was sic a misery that I can haurdly mind ae pairt o it frae anither. Begrutten though I was, they didna leave me in the hoose, but poued me ahint them again whan they took their walk to the graveyaird to look at aa the faimily heid-stanes.

Glossary (margin):

made

knock

depressed, softened

prim

outlying, stay

anything

stomach, frogs', stagnant pool

interrogated

asking

starched shirt

goings on

endure

Tear-stained

Efter than cam tea in the big front paurlor, wi my grandfaither sittin like God in his heich-backit chair, the muckle faimily bible on the flair at his feet, and a stourie aspidistra in the winnock ahint him.

The aulder folk crackit till the tea was brocht in, aboot maitters abune my heid, and when I had lookit for the hundredth time at the wheen picturs on the waas, o dour auld MacLellans and MacCullochs in lum hats and lang side-whiskers, or mutches and shawls, I felt sae wearit o sittin still that I couldna help but gant.

My grandfaither glowered at me again like the Lord in His wrath, and I trummlet sae muckle wi fricht that whan my aunt Lizzie haundit me my cup o tea I skailed the haill clamjamfray on the rug.

I gat anither clowt for that.

Syne back to the kirk again, for the service at evin, but this time they didna trust me wi the organ. I had to sit in my Linmill grandfaither's pew at the back o the kirk, while the Finlay laddie took my place abune the congregation. As ye wad imagine, whan the folk saw that I had lost my job they had to run roun and stare, and this time they couldna hide their glee. I could hae scartit their een oot.

The Finlay laddie pumpit to perfection. There wasna a faut to fin. I could hae grutten wi spleen.

Whan we won oot o the kirk at last, and took the lang road hame to Linmill, I had ae thocht in mind, to rin on aheid o my faither and my minnie and fin Will MacPherson in Kirkfieldbank.

But wad they lowse their grip? Deil the fear! We were nearly at the fute o the Kirkfieldbank brae whan they gied me my freedom, and I had to rin sae hard to win ayont their caa that whan I did fin Will MacPherson, in Chalmers the coachman's yaird, I was oot o braith.

I gaed up to him in a blin rage and struck him on the gub.

The wee couard didna fecht back. He stertit to bubble. And an auld wife gied a skelloch frae her winnock.

'I saw ye! I saw ye! Awa, ye young deil, afore I win at ye wi my dish-clout!'

Folk began to gether aa roun the yaird, amang them twa big brithers o Will MacPherson's.

The auld wife gaed on wi her skrechin.

'The puir wee laddie wasna lookin near him, and he ran up and lammed him on the mou!'

I backit for the yaird yett, but I was ower late. The twa big brithers gaed for me at ance.

By the time my faither and my minnie cam alang the road I was rinnin wi bluid, and there wasna a haill steik in my new claes. The twa big MacPhersons had gane, but the auld wife was there to tell the haill story, and insist that it was aa my ain faut.

My faither was bleizin mad wi me for the rest of the wey hame, and my minnie was greitin.

I gat anither lickin afore I won to bed that nicht, and was sae sair aa ower that I could haurdly lie in comfort, but I telt mysell as I tossed amang the blankets that there wadna be anither Saubbath for a haill week, and in ony case I wadna hae to weir the velvet claes ony mair, for my Linmill grannie said they wad haurdly mak guid dusters, they were sae faur gane.

Wi that I fand my ease, and gaed to sleep.

THE COMING O THE WEE MALKIES

Stephen Mulrine

Whit'll ye dae when the wee Malkies come,
    if they dreep doon affy the wash-hoose dyke,
        an pit the hems oan the sterrheid light,
            an play wee heidies oan the clean close-wa,
                an bloo'er yir windae in wi the baw,
            missis, whit'll ye dae?

Whit'll ye dae when the wee Malkies come,
    if they chap yir door an choke yir drains,
        an caw the feet fae yir sapsy weans,
            an tummle thur wulkies through yir sheets,
                an tim thur ashes oot in the street,
            missis, whit'll ye dae?

Whit'll ye dae when the wee Malkies come,
    if they chuck thur screwtaps doon the pan,
        an stick the heid oan the sanitry man;
            when ye hear thum shauchlin doon yir loaby,
                chantin, "Wee Malkies! The gemme's a bogey!"

– Haw, missis, whit'll ye dae?

Glossary:

drop down off
disable

smash

knock on
take, soft
turn somersaults
empty

bottles, lavatory
head-butt
shuffling, lobby
the game's over

The Ballad Of
JANITOR MACKAY

Margaret Green

I wis playin keepie uppie
in the street ootside the schule,
when Jock McCann's big brither
who's an idjit an a fule,

hit
bounced

went an tuk ma fitba aff me
an he dunted it too hard
an it stoated ower the railins
inty the janny's yard.

sleeping
gave him a blow

Aw, Mackay's a mean auld scunner.
He wis dossin in the sun,
an when ma fitba pit wan oan him
big McCann beganty run,

an Mackay picked up ma fitba
an he looked at me an glowered
but I stood ma groond, fur naebody
will say that I'm a coward.

But when he lowped the palins
an he fell an skint his nose
I tukty ma heels an beltit
right up ma granny's close.

I could feel the sterrwell shakin
as efter me he tore,
an he nearly cracked his wallies
as he cursed at me an swore.

'O save me gran,' I stuttered
as I reached ma granny's hoose,
fur Mackay wis gettin nearer
an his face wis turnin puce.

Noo, my gran wis hivin tea
wi Effie Bruce an Mrs Scobie,
an when she heard the stushie
she cam beltin through the loaby.

Ma gran is only fower fit ten
but she kens whit she's aboot,
'Yev hud it noo, Mackay,' I cried,
'Ma gran will sort ye oot!'

See the janny? See ma granny?
Ma granny hit um wi a sanny
then she timmed the bucket owerum
an he tummelt doon the sterr
an he landed in the dunny
wi the baikie in his herr.

Fortune changes awfy sudden –
imagine he cried *me* a midden!

(I goat ma ba back but.)

jumped, fence

raced
passageway to a common
    stair in a tenement
stairwell

false teeth

uproar
lobby

trainer
emptied

basement
ash and rubbish

mess

FI'BAW IN THE STREET

Robert Garioch

Look out!	Shote! here's the poliss,
	the Gayfield poliss,
put us	an thull pi'iz in the nick fir
	pleyan fi'baw in the street!
fatty	Yin o thum's a faw'y
big, flabby potato	like a muckle foazie taw'y
	bi' the ither's lang and skinnylike,
	wi umburrelly feet.
	Ach, awaw, says Tammy Curtis,
too scared	fir thir baith owre blate ti hurt iz
stupid, Highlanders	thir a glaikit pair o Teuchters
	an as Hielant as a peat.
	Shote! thayr thir comin
	wi the hurdygurdy wummin
toppled over, cart	tha' we coupit wi her puggy
	pleyan fi'baw in the street.
	Sae wir aff by Cockie-Dudgeons an
	the Sandies and the Coup,
	and wir owre a dizzen fences tha'
jump	the coppers canny loup,
	and wir in an ou' o backgreens an
dropping down from high	wir dreepan muckle dikes,
stone walls) (clothes	an we tear ir claes on railins
	full o nesty irin spikes.
scrawny	An aw the time the skinnylinky
	copper's a'ir heels,
dead or dying	though the faw'y's deid ir deean,
	this yin seems ti rin on wheels:
	noo he's stickit on a railin wi
	his helmet on a spike,
running	noo he's up an owre an rinnan, did
	ye iver see the like?

Bi' we stour awa ti Puddocky
  (that's doon by Logie Green)
and wir roon by Beaverhaw whayr
  deil a beaver's iver seen;
noo wir aff wi buitts and stockins
  and wir wadin roon a fence
(i' sticks oot inty the wa'er, bi'
  tha's nithin if ye've sense)
syne we cooshy doon thegither
  jist like choockies wi a hen
in a bonny wee-bit bunky-hole
  tha' bobbies dinny ken.
Bi' ma knees is skint and bluddan,
  an ma breeks they want the seat,
jings! ye git mair nir ye're eftir,
  pleyan fi'baw in the street.

never a

huddle
chickens

bleeding
trousers
gosh!

The Auld Workin Collie

Cecilia J. Mowatt

light, eyes

lurching cattle, collect
evening

Noo, aa day, he lies bi the fire, for most,
blinkin at the lowe wi bleary een:
He's auld and dune and must feel kindo lost
wi'oot the hyterin kye tae ca at e'en.
Whiles I winder if his mind gaes oft
tae aa the simmer days he spent wi me
when we trampled and trudged aboot the windy croft
on the steep bit bonny braes abune the sea.

commotion

tidies, against

Noo, I winder when he hears the soond o rain
or the stramash o a gale careerin ower,
if he's back amang the corn stacks, aince again,
as Maister snugs them doun gin winter's glower.
And daes he dream, noo, "There's a swaggerin rat
lopin across the steading, bold and free";
ae bound wi snappin jaws, "We'll no hae that
on the steep bit bonny braes abune the sea!"

ploughed land

sky, boldly

Lyin wi patient content bi the rigg
as Maister ploos the furrows rich and dark;
seein the noisy gulls in squabblin jig
speckle the moist broon earth; a lark
high i the lift, sings stootly strong and clear,
cleavin the wind wi ripplin melody
while scents o Spring come driftin far and near
ower the steep bit bonny braes abune the sea.

Rinnin wi waggin tail as aft we strolled
tae fish for cuithes alow the jagged shore
while evenin melted oot in colours bold
ower the far tide's dunnerin roar.
Chasin the mockin gulls that flit and light
leadin him on wi sprightly, impish glee.
An antrin rabbit tempts him oot o sight
on the steep bit bonny braes abune the sea,

The hairst aft fund him eagerly
watchin the strang-airmed workers stook and bind,
shelterin frae fleein shooers doun i the lee
o gaithered sheaves; aa this rins through ma mind
as I thole the lang, dreich winter o us baith
an feel the faithfu heid laid on ma knee;
no more I ask if we should meet wi daith
on the steep bit bonny braes abune the sea.

young coalfish

thundering

occasional

harvest
setting up and tying
   sheaves

endure, bleak

death

Wur Cheeko

Jenny S Stewart

We've hed a cattie as wur pet for more than thirteen years,
Although she's geriatric gettin, slightest sound she hears,
No doot, a bonnie lookin beystie, no chowed loogs or tail,
Eyes still bricht, hez aa hur teeth, an no fit ye'd ca frail.

Fey Clayig cam she as a kettlin in a box for shoes,
A roond black ball o softest fur, hur eyes gret beeg, lek coo's,
She'd twa'r three neymes afore she'd answer, maybe didna fancy
E anes we'd thocht wid do a cat she feelt wiz kinna chancy.

A proper wumman in hur ways, ye'd no ken fit she's thinkin,
Wan meenid stretched across yur lap choost starin hard,
      unblinkin,
Nixt she'd turn ferocious beyst an swipe ye wi hur claws,
Or lick ye first then grasp yur flesh atween hur vice-lek jaws.

She's no weyss fey e day she's boarn, goes nuts faneer thurs win,
Lowps aboot e furnitur, demented, wi a grin,
Spread ower hur feline features, she'd pretend ah wiz a moose,
An stalk ma passin ankles, cheyse me all about e hoose.

Tin hat on eccentricity is fan ah start till sing,
She paws ma mam across e mouth, wur wee, ill-tricked thing,
Kens mam canna thole at an she'll open ootside door,
Release hur fey hur agony fan loogies get too sore.

We widna want till pert wi hur, ah'd miss hur for a start,
For haddin on ma blankids, for she slumbers on ma cart,
She's mistress o wur fine domain, wur at hur beck an call,
Boot widna swap hur for e world, wur mad, wee, whiskered pal.

animal, ears
what

kitten

two or three names
unfortunate

One minute

sensible, whenever there's
wind) (Jumps

chase

The last word on, when
mischievous
bear that
(her) ears

part
blankets, bed

But

A Christmas Poem

Josephine Neill

A caald winter's nicht
Starn heich in the lift
A lass wi a bairnie
Ahint a snaa drift.

Stars, high, sky

Behind

Come in through the byre
Step ower the straw
Draw ben tae the fire
Afore the day daw.

Come close

dawns

The bairnie will sleep
By the peat's puttrin flame
Oor waarmin place, lassie,
This nicht is your hame.

flickering

Come mornin the snaa
Showed nae fuitprints at aa
Tho the lass wi the bairnie
Had stolen awaa.

An we mynded anither
A lang while afore
Wi a bairn in her airms
An the beasts roun the door.

remembered

AN NAOIDHEAN

Bho
"Seòid na Mara"
Fionnlagh MacLeòid

Aon latha bha fear ann an Eirinn 's bha dùil aige dhol a-mach leis an eathar a mharbhadh ròn. Bha e a' lorg cuideigin a dheidheadh còmhla ris. Chaidh e gu taigh a bha faisg dha, 's dh' iarr e air an duine bha sin tighinn còmhla ris.

"Chòrdadh e riumsa dhol còmhla riut," thuirt an duine, "ach 's mi tha cumail sùil air an fhear bheag seo seach nach eil a mhàthair aig an taigh."

Bha naoidhean beag na shìneadh ann an creathail.

"Dè mu dheidhinn gun toireadh sinn leinn e?" thuirt a' chiad duine. "Chuireadh sinn aodach blàth air 's bhitheadh e math gu leòr anns an eathar còmhla rinn fhìn. 'S e th' ann ach latha math." 'S e sin a rinn iad ma-tha. Chaidh plaide bhlàth a chuir air an leanabh 's a-mach leotha anns an eathar.

"Tha e cho dòigheil ann an sin 's a bhitheadh e anns a' chreathail," thuirt fear na h-eathar ris an athair.

Cha b' fhada gus na ràinig iad an cladach far am bitheadh na ròin. Bha uamh mhòr ann, agus 's ann a smaoinich iad gum bitheadh fasgadh na b' fheàrr aig an naoidhean nan toireadh iad a-steach dhan uaimh e. Thog athair an naoidhean a-mach às an eathar, 's chaidh e a-steach dhan uaimh leis. Lorg e palla creige anns an uaimh 's chuir e an leanabh na shìneadh oirre. Bhitheadh e ceart gu leòr an sin gus an tilleadh iadsan bho bhith a' marbhadh nan ròn.

Dh' fhàg iad an t-eathar anns a' chladach 's thòisich iad a' lorg nan ròn. Ach mas robh iad ach air tòiseachadh, dh'èirich stoirm mhòr 's dh'fhàs i fiadhaich. Ruith an dithis aca mus fhalbhadh a' mhuir leis an eathar. Fhuair iad air leum na broinn 's a tarraing a-mach bho na creagan. Ach cha robh tìde ann a dhol dhan uaimh a dh'fhaighinn an naoidhein. Bha esan fhathast na laighe a-staigh air a' phalla, 's bha eagal orra gu ruigeadh am muir-làn 's an stoirm air.

Thug iad an eathar a-mach pìos bho thìr, 's bha iad a' coimhead na h-uamha. Dh'fheuch iad ri dhol a-steach air ais, ach 's ann a theab iad a dhol air na creagan. 'S ann na bu mhiosa bha an stoirm a' dol, 's bha aca ri falbh dhachaigh mus deidheadh iad às an rathad.

Bha bròn is caoidh aig an taigh nuair a thill iad 's gun an naoidhean nan cois.

"Chaill sinn e anns an uaimh le mar a thàinig an stoirm oirnn," dh'innis iad.

Chum an duine taigh-fhaire an oidhche sin, agus an ath oidhche a-rithist.

Air an treas latha chaidh an t-sìde na b' fheàrr 's chaidh an dithis a-mach leis an eathar a choimhead mu chuairt na h-uamha. Bha trì latha air a dhol seachad bho chaill iad am balach beag.

Thug iad an eathar a-steach gu beul na h-uamha. Cha robh càil a' gluasad. Chunnaic iad ròn mòr boireann na sìneadh an doras na h-uamha, agus i a' toirt bainne dha cuilean a bh' aice na spògan. Nuair a chaidh iadsan air tìr, leig ise às an cuilean air làr na h-uamha, 's leum i a-mach air a' mhuir. Chaidh iad a-steach dhan uaimh 's chunnaic an t-athair gun robh am palla falamh.

Thug e sùil air a' chuilean a bha air an làr, 's chunnaic e gur e bh' ann ach an leanabh aige fhèin, 's e slàn fallain.

Thog e an naoidhean 's bha e blàth is tioram. Cha robh coltas acrais air na bu mhotha. Bha an ròn air a bhith ga bheathachadh 's ga chumail sàbhailte. Ràinig iad dhachaigh leis an naoidhean 's bha a h-uile duine le iongnadh is toileachas. Dh'fhàs an naoidhean gu bhith na duine tapaidh, agus bha e sònraichte math air snàmh.

THE INFANT

There was once a man in Ireland who wanted to go out with the boat to kill seals. He was looking for someone to go with him. He went to a house near by and he asked the man of the house to come.

"I would like to go with you," said the man, "but I am keeping an eye on this little fellow because his mother is not at home."

A little infant lay in a cradle.

"What about taking him with us?" said the first man. "We would put warm clothes on him and he would be all right with ourselves in the boat. It is a good day." And that is what they did. The child was wrapped in a warm blanket and out they went on the boat.

"He is as content there as he would be in the cradle," said the boatman to the father.

They soon reached the shore where the seals were. There was a big cave, and they thought that the infant would have more shelter if they took him into the cave. The father lifted the infant out of the boat and he went into the cave with him. He found a slab of rock and he laid the infant on it. He would be all right there until they returned from killing seals.

They left the boat on the shore and they began hunting the seals. But they had hardly started when a great storm arose and it became wild. They both ran to rescue the boat from the sea. They managed to jump inside it and pull it away from the rocks. But there was no time to go to the cave to get the infant. He was still lying inside on the slab and they were afraid that the tide and the storm would reach him.

They took the boat a bit out from land and they kept an eye on the cave. They tried to go back in but they nearly went on the rocks. The storm was getting worse and they had to go home before they were lost.

There was sorrow and crying at home when they returned without the infant.

"We lost him in the cave when the storm came," they said.

The man held a wake that night and the next night.

On the third day the weather improved and the two went out with the boat to look around the cave. Three days had elapsed since they lost the little boy.

They brought the boat in to the mouth of the cave. There was nothing moving. They saw a big female seal lying in the mouth of the cave, giving milk to a pup she held in her paws. When they landed she let go of the pup on the floor of the cave and jumped out to sea. They went into the cave and the father saw that the slab was empty.

He looked at the pup on the floor and he saw that it was his own child alive and well.

He lifted the infant and he was warm and dry. He did not appear hungry either. The seal had been feeding him and keeping him safe.

They arrived home with the infant and everyone was amazed and overjoyed. The infant grew to be a strong man, and he was an exceptionally expert swimmer.

From
"Seòid na Mara"
Finlay MacLeod

The Punishment

THE
PUNNIE

Sheena Blackhall

'You're so fond of wasting time, Neil Paterson,' said Miss McTavish, 'you can spend the whole morning doing just that. As your punishment for not handing in your homework today, you can sit and twiddle your thumbs in the classroom on Friday while the rest of the school visits the Dinosaur Exhibition.'

Could she nae hae gaen me an ordinary punnie, like lines, or sums, or missin gym? Bit na, nae her. Nae Miss McTavish. My ma says Miss McTavish maun **ett** nasty peels tae makk her sae ill-nayturet. Ye dinna need tae watch a horror movie tae get a **fleg** – jist come intae oor class an see Miss McTavish. Frankenstein's monster himsel wid rin frae HER.

'Dinna fash yersel, ma loon,' ma da tellt me. 'Yer cousin, Dauvit, saw the dinosaur exhibition doon in Embro. He says it's jist a **puckle** clockwirk beasties that **hodge** frae ae **fit** ontae anither an gie a bit roar. He says he's **haen** mair excitement at a Sunday school picnic on a weet Setterday efterneen.'

Bit I kent da jist said thon tae cheer me up, an I wis gey **hingin-luggit** last Friday fin the ither **loons** an **quines** gaed ontae the bus wi their packed lunches. 'Niver mind, Neil,' said Maisie Duthie, 'Ye'll be haein schule denners. Likely it'll be mince an tatties, wi ice cream efter.'

must eat
fright

few, hop
foot, had

down-hearted
boys and girls

'Ay,' quo Sannie Birnie, 'I'll bring ye back some dinosaur's tae clippins if I win near eneugh.' I brichtened up at yon. Efter the class hid line up like a raw o penguins, Miss McTavish roared an gurred at them aa a whyle.

'There will be NO carry-on at the exhibition,' she warned them. 'I haven't forgotten it was one of this class who ate a tin of chocolate gifted by Queen Victoria to her gallant Gordon in Africa. I only hope the person concerned had an extremely sore tummy.'

She kent fine it wis me, tho she cudna prove it. The Gordon Highlander Museum shouldna leave oot chocolates tae tempt bairns, even if they ARE a hunner year aul.

Aff they set fur the bus leavin me masel in the classroom. I wis gey weariet bidin there, I tell ye. I powkit aboot ma desk, an caad the styew frae the blackboard cloot, an drew a pictur o Miss McTavish on the boord wi a mowser that suited her rale weel. Bit syne I even grew scunnered o yon. I put ma heidie doon on ma desk an shut ma een.

Tam Forbes, the jannie, powked his heid roon the door. 'Weel, weel, if it's nae Neil Paterson – the verra loon I wis wintin. Maisie Duthie telt me ye waur here.' I cockit ma lugs an listened. Tam Forbes is a fine jannie.

Aabody caas him Quasimodo cause he rings the bell an his a gammie leg, bit he disna rage or girn like Miss McTavish – I've seen couthier Rottweillers than Miss McTavish!

'Ye see, Neil,' said Tam, 'Friday's the day I redd up the classroom pets for the wikken. Nane of the cleaners will dae it since Class 3's rat, Speedy, ran aff an ett the register. Bit a big loon like you, ye'd hae the job daen in nae time. There's 50p in my pooch for ye if ye're feenished afore dennertime.'

I didna need twa tellins – I wis aff like a hare tae Room 1, Miss Innes's class, far the infants bide. Miss Innes keeps a rubbit caad Fuskers in a run in the neuk – a richt bosker o a beast wi lugs as big as bananas. Efter I gaed Fuskers clean strae an a sup carrots an lettuce I tuik him up in ma bosie an we toured the classie. The littlins are daein a project on fishin, seein oor schule's in Aiberdeen, tho if ony o yon fish on the waa swam inno a net they'd caa a hole in it as big's a barrel. It's herrin we hae in Aiberdeen, nae sharks, bit I suppose the infants hae a job cuttin oot wi shears. Fuskers wis rale teen wi the fish, bit fin he tried tae chaw the mobile o the fishin fleet, I tuik him back tae his run an left him there fur bein ill-tricket.

Room Fower's Miss Mitchell's classie. They hae twa gerbils caad Bacon an Eggs. Bacon's broon an Eggs is fite an they baith lowp like puddocks! The gerbils bide in a plastic hoose like a kinno gerbil multi-storey – wi their ain playgrun tae keep them entertained. Miss Mitchell's class are daein a project on North Sea ile. My da wirks aff shore on a rig, sae I wis rale diverted raikin aboot in Room Fower. There wis a muckle paper mashe model o a rig, wi paper divers at its foun an toilet rolls for gas pipes leadin frae the boddom tae a muckle chart on the waa aside Bacon an Eggs' hoose, wi aa different eeses o ile that wid jist bumbaze ye. I lat Bacon doon the pipes an Eggs efter him an they'd a fine dander roon the rig while I cleaned oot their hoose an teemed some seeds inno their bowl. I bedd a guid while in Room Fower, luikin ower the charts an picters o the ile fields, syne I catched Bacon an Eggs on the rig wi a jam jar an teemed them inno their hoose.

Glossary

- snarled
- hundred years old
- by myself, staying
- knocked, dust, cloth
- moustache
- soon
- pricked up my
- ears
- complain, more friendly
- clean
- week-end
- boy
- pocket
- where
- live, corner
- arms
- tear
- taken
- mischievous
- frogs
- oil
- base
- uses, bamboozle
- poured
- stayed

rear ends, dirty, slimy
as well

few

be bothered

scary
last

favourite, few

wiped

knocked
cleaning

fed up

kind of morning

By half past ten I'd twa mair classies tae gang till! The Deputy Heid's in Room nummer sax, that's Mr Bruce. I'd tae be gey cannie wi his pets – the Primary 7s are breedin puddocks an the taddies hiv new-grown legs wi the tails nae drappit aff their docks yet. The watter wis glaury an slivvery. I'd tae watch an nae loss ony puddocks doon the sink cheengin the watter. An they need a sup meat anna, fur they turn intae cannibals an ett ane anither if they're hungeret.

Mr Bruce his a muckle collage on the back waa. 'The Silver City By The Sea: Aberdeen Through the Ages'. There's war poems on't be local fowk, an the toun motto 'Bon Accord'; an the coats o arms o the gentry. Ower in a far neuk Mr Bruce hid a clan map wi the North East tartans on it – Gordon, Farquharson, Forbes, an a wheen mair. He'd a tape recorder ahin the door wi tales o Auld Aiberdeen on it – aa aboot bogles an warlocks an even slavery. I didna think Tam Forbes, the jannie, wid gee his ginger if I jist sat doon a while an listened till't. I wish I hid Mr Bruce as a dominie an nae Miss McTavish – some o yon tales wad hae made yer hair curl they war that feary.

The hinmaist pet wis the quatest, Tibbie the tortoise in Room 10, Mrs Hardie's class. 'Dance Around the World' wis her project. I thocht yon wad be gey borin for the loons fin I saw the picturs o ballerinas an Heilan dancers, Dutch clog dancers, an Indian temple dancers. Bit ower bi the blackboord the class hid papered the waa wi aa ma best singers . . . . Madonna, Michael Jackson, Whitney Houston an a puckle mair. Fin I pit on Mrs Hardie's tape recorder the tap twenty records blared oot, rap, an rave, an disco tunes.

Seein naebody wis there tae watch me, I practised ma disco dauncin. There's a junior disco at the youth club on Setterday nicht an I'd like tae daunce wi Maisie Duthie if she'll let me. Tibbie the tortoise didna think much o the soun, bit I didna forget ma job. I dichtit her shell wi a polish cloot in time tae the music. I think she wis gled tae gang back inno her cosy boxie o strae.

Syne Tam Forbes chappit on the door. 'I didna ken ye were a disc jockey in the makkin,' quo he. 'It's jist as weel we've the schule tae wirsels. Here's 50p fur reddin up the pets an twa packets o monster munch crisps fur missin the dinosaurs.'

Maisie Duthie an the rest o the bairns cam back efter dennertime. "Puir Neil," quo she. 'Wis ye awfu scunnered bidin yersel?'

I didna say ay an I didna say na fur Miss McTavish wad hae bin in a fine fizz if she kent the kinno foreneen I'd haen tae masel.

'Ye cud mak up for it bi lettin me dance wi ye at the disco,' I telt Maisie. 'An ye can tell me aa aboot the dinosaurs on the wye hame.'

'Tae tell the truth,' quo Maisie, 'we niver saw the dinosaurs. The bus broke doon at the Brig o Don an bi the time a new bus arrived it wis time tae gang back tae schule.'

So I niver DID get a dinosaur's tae-clippins, bit there wis a plastic brontosaurus in ma packet o Monster Munch that naebody else in the class hid gotten!

SHETLANDIC

Rhoda Bulter

Sometimes I tink whin da Loard med da aert,
An He got it aa pitten tagidder,
Fan He still hed a nev-foo a clippins left ower,
Trimmed aff o dis place or da tidder,
An He hedna da hert to baal dem awa,
For dey lookit dat boannie an rare,
Sae He fashioned da Isles fae da ends o da aert,
An med aa-body fin at hame dere.

Dey lichted fae aa wye, some jöst for a start,
While some bed ta dell rigs an saa coarn,
An wi sics gret gadderie a fok fae aa ower,
An entirely new language wis boarn.
A language o wirds aften hard tae translate,
At we manna belittle or bö,
For every country is prood a da wye at hit spaeks,
An sae we sood be prood a wirs tö.

earth
put it all together
Found, fistful
this place or the other
throw

contented
  They settled from everywhere,
some just for a short while,
stayed to dig fields and sow seed
accumulation

scorn

proud of ours too

The First Hoolit's Prayer

Ian McFadyen

owl

"A'll tak the nicht-shift," says the hoolit.
"The nicht-shift suits me fine –
An i the deeps o winter
A'll aye dae the overtime.

"Dinna send me wi thae ithir birds
cheepin in a choir
i the gloamin or at brek o day
lined up oan a wire.

"But gie tae me a solo pairt,
markin oot the nicht
wi low notes that gie goose-pricks

high ones, frights

an hie anes that gie frichts.

"An Lord, dinna pey me
wi nuts or crumbs or seeds:
A want tae be carniverous,

rats'

an chow aff rottans' heids!"

Owl

Aonghas MacNeacail

bird whose voice
   is its shape
feathers the night with a cool
curt
   moan
can be heard only
       as a still
cry among the foliage of darkness
or a muffled motion
unseen it
   sees
     and finds
the scurrying rat
    at the extreme
end of its parabola
     of air

BREKKEN BEACH, NORT YELL

Christine De Luca

glimpse	A mile aff we catch a glisk
	o Brekken beach: webbed
sparkling	atween headlands, a glansin arc
shells	o ancient shalls
silvered	sun sillered.
	Waves aff Arctic floes
	bank in; dey shade fae cobalt
swell	tae a glacial green; swall
	an brak, rim on rim
overflowing surf	o lipperin froad.
	We rin owre dunes
clover	crumplin smora,
shoes	fling aff wir shön
squeeze, through toes	birze sand trow taes
dig and build	dell and bigg it;
chase the backwash	shaste da doon draa
jump	o da waves, loup
last	der hidmost gasps.
us, gannets	Abune wis, solan plane an plummet,
guillemot	an on da cliff, a tystie
neatly dressed	triggit up in black an white
folly	gawps at wir foally.
	Da sun draps doon ahint his keep
must	as we man laeve
earth	an Eden aert
	ta him.

SHETLAN

John Peterson

Du may waander on fir ever,	You, wander
An seek idder laands dee lane,	alone
Bit someday du'll come driftin	
Ta da laand a laands agen.	
Shös a laand o faeries dancin	She's
In a ring o snaa-white scöm,	foam
Whaar da grit, grey sea lies skulkin	
I' da dim, saft simmer höm.	twilight
Dere, A'm pluckin kokkiluries,	daisies
An gadderin paddick-stöls,	gathering, toad-stools
Or guddlin tricky skeeticks	cuttle-fish
Ida clear saat-waater pöls,	
A'm rickin peerie sillicks	catching little coalfish
Wi a preen an dockin-waand	pin and short rod
Or pokin efter smislins	shell-fish
Ida ebb-stanes ida saand.	
Shös a laand whaar winter's souchin	sighing
Trowe da spöndrift an da squaal,	spray, squall
An da smorin mooricaavie	snowy blizzard
Fills da Nort-wind's oobin waal	moaning wail
Dere, I look alang da tide-line	
Among da tang an waar,	sea-weed
Fir baarrel-scows, an battens,	barrel-hoops
An bits o brokken spar;	
Fir da muckle seas is brakkin	great
In stoor laek cloods o snaa.	storm, snow
An der tales o vessels wrackin	
Wi dir sails aa blawn awa.	

In the Deid o Nicht

Chris Morgan

The mornin licht
Shows bricht an clear,
Draps o rid
Oan the white, white snaw.

Tellin the tale
O whit's been din,
In the deid o nicht
Oan the white, white snaw.

Fitprints mark
Whaur a cat's been oot,
Oot on the prowl
Wi killin claw.

An a puir wee burd's
Been din tae daith
An left its bluid
Oan the white, white snaw.

THE TWA CORBIES

Anon

As I was walking all alane,
I heard twa corbies makin a mane;
The tane unto the tother say,
"Where sall we gang and dine to-day?"

complaining
one

"In behint yon auld fail dyke,
I wot there lies a new-slain knight;
And naebody kens that he lies there,
But his hawk, his hound, and his lady fair.

old turf wall
know for certain

His hound is to the hunting gane,
His hawk, to fetch the wild-fowl hame,
His lady's ta'en another mate,
Sa we may mak our dinner sweet.

Ye'll sit on his white hause-bane,
And I'll pike oot his bonny blue een:
Wi ae lock o his gowden hair,
We'll theek our nest when it grows bare.

collar bone
peck, eyes
golden
roof

Mony a one for him maks mane,
But nane sall ken where he is gane;
Oer his white banes, when they are bare,
The wind sall blaw for evermair.

laments

over

SAID THE MOLE

Aonghas MacNeacail

said the mole
i will grow wings and
fly like the sparrow
he was blind in the sun when
the hawk took him
by the throat
and bore him higher than any sparrow
had flown

Da Selkie

Rhoda Bulter

Du's lookin kinda lonnly lyin yunder be deesel,
Baskin i da sun doon be da sea.
Is du lost dee midder, for dee dark een seem ta tell
O somethin aafil sad been dün ta dee?

Wir dey someens ready waitin whin you aa swam in da gio,
Firin aff dir guns fae whaar dey stöd,
Sae blind wi faer you treshed da watter as you tried ta win awa,
While da froadin sea aboot you ran wi blöd?

Did du look back ower dee shooder whin dey set aff wi da boat
See dem haalin up da crangs in ower da sides?
Did du see da tully flashin, an hear da greedy gaff,
As dey stackit up da boanie selkie hides?

Did du see da blödin boadies at dey fired back i da sea
Ebbin up among da waar whin aa was by?
Did du watch da muckle swaabies an da bunxies tear an aet
Till dir wis nixt to naethin left? For why?

For fancy peerie purses, an smucks an fashion hats,
An oarniments ta set apu da brace;
For dinky decorations ta hing a key apun;
An haandbags, bowt an selt aa ower da place.

O, if only fok could see dee as I see dee, lyin here,
Dan watch dee sweemin oot ta sea again;
Dey wid never gie dir money for ta buy da souvenir
At someen sits an maks fae selkie sken.

You're, yourself

your mother

Were there people, creek
from where they stood
escape
frothing

shoulder
carcases
knife, laugh

bleeding, threw
seaweed
black backed gulls and
    great skuas

little, slippers
on mantelpiece

bought

give
someone, skin

Catching the Salmon

Neil Gunn

Kenn has been asked to go to the well for water. It is early morning.

The dawn air was cold and the touch of frost in the ground was such a shock to Kenn's bare feet that he nearly cried out. He should have put on his boots, holed as they were. He hoped his parents were watching him through the window and seeing what he had to endure.

In this mood he arrived at the well, which was at the foot of a steep bank by the side of the river. Carelessly he bumped the pail down on the flat stone, and at the sound, as at a signal in a weird fairy tale, the whole world changed. His moodiness leapt right out of him and fear had him by the throat.

For from his very feet a great fish had started ploughing its way across the river, the king of fish, the living salmon.

Kenn had never see a living salmon before, and of those he had seen dead this was beyond all doubt the all-father.

When the waves faded out on the far side of the stream, where the bed was three feet deep, Kenn felt the great silence that lay upon the world and stood in the midst of it trembling like a hunted hare.

So intensely did he listen to the silence that he might well have caught a footfall a mile away. But there was no slightest sound anywhere. His eyes shot hither and thither, along horizons, down braes, across fields and wooded river-flats. No life moved; no face was watching.

Out of that noiseless world in the grey of the morning, all his ancestors came at him. They tapped his breast until the bird inside it fluttered madly; they drew a hand along his hair until the scalp crinkled; they made the blood within him tingle to a dance that had him leaping from boulder to boulder before he rightly knew to what desperate venture he was committed. . . . .

. . . . A thousand influences had his young body taut as a bow, when at last, bending over a boulder of the old red sandstone, he saw again the salmon.

Fear rose in him afresh, for there was a greyness in its great dark-blue back that was menacing and ghostly. An apparition, an uncanny beast, from which instinct urged him to fly on tiptoe. The strength of his will holding him there brought a faint sickness to his throat. He could see the eyes on each side of the shapely head and knew the eyes must see him. Still as a rock and in some mysterious way as unheeding, the salmon lay beneath him. Slowly he drew his head back until at last the boulder shut off sight of the salmon and released his breath.

As before, he looked all around him, but now with a more conscious cunning. A pulse was spiriting in his neck. There was colour in his sensitive features and a feverish brilliance in the dark-brown eyes beneath the straight fringe of darker hair. Tiptoeing away from the boulder, he went searching downstream until he found a large flattish stone, and returned with it pressed against his stomach.

When he had got the best grip, he raised it above his head, and, staggering to the upper edge of the sandstone boulder, poised it in aim. Then he did not let it drop so much as contrive, with the last grain of his strength, to hurl it down on the fish.

Though untouched, the salmon was very clearly astonished and, before the stone had right come to rest, had the pool in a splendid tumult. For it was not one of those well defined pools of gradual depths. There were gravel banks in it and occasional boulders forming little rest pools behind them. There was no particular neck, as the bed of the stream merely rose to let the water rush noisily down and in. The tail was wide and shallow.

It was a sea-trout rather than a salmon pool, as became apparent in that first blind rush, when the fish thrashed the water to froth in a terrific boil on top of the gravel bank, cleared the bank, and, with back fin showing, shot across the calm water towards the well where he had been resting. So headlong was his speed that he beached himself not two yards from Kenn's pail. Curving from nose to tail, the great body walloped the stones with resounding whacks. So hypnotised was Kenn by this extraordinary spectacle, that he remained still and powerless, but inwardly a madness was already rising in him, an urgency to rush, to hit, to kill. The salmon was back in the shallow water, lashing it, and in a moment, released, was coming straight for him. Right at his feet there was a swirl, a spitting of drops into his face. The fish saw him and, as if possessed by a thousand otters, flashed up the deep water and launched himself, flailing wildly, in the rushing shallows of the neck. . . . .

. . . . The water was now growing narrower, but it was tortured by boulders and sloping flagstones. The passage to the sea was easy and hardly half a mile long, but Kenn complicated the boulder pattern by adding with violence small boulders of his own. Twice the salmon flashed past him, and now Kenn was not merely wading into the water, but falling and crawling and choking in it, yet ever with his dark head rising indomitably.

For Kenn had no weapons of attack other than his little fists and what they could grab from the river bottom; no rod, hook, net, or implement of constraint or explosion. It was a war between an immature human body on the one side, and a superbly matured body of incredible swiftness and strength on the other. In physical length, laid out side by side, there would have been little difference between them. The initial strategy, however, could be summed up in the words 'keep him on the run'. All his tactics brought this about as their natural result, whether he was careering wildly up and down on the bank, pausing to hurl a stone, or dashing into shallows to get at close quarters. The frenzy of both had first to be worn down, before the cunning brain could stalk the tired body. . . . .

. . . . This phase of the battle went on for a long time, until Kenn knew all the resting places and there began to grow in him a terrible feeling of power, terrible in its excitement, in its realisation that he might be successful, and even more terrible in its longing. There came a time when Kenn, having got the fish resting where he wanted him, went downstream to choose his stone, but no longer in blind urgency. He handled two or three before lifting one against his breast.

The salmon lay by the outer edge of a greenish underwater slab. By approaching it on a slant towards its tail, he could keep its head out of sight. Warily he did this until he came to the edge of the stream. But now he knew that however he stooped while wading in, the eyes would be disclosed. He did not hesitate; he let himself down into the water and, the stone against his stomach, slithered over the gravelly bottom on his stern. It was an autumn morning, after a night of hoar-frost, but when the water got fully about his body he felt it warm. Foot by foot he thrust himself on, until at last he could have put out a hand and touched the tail; and the tail was deep as his face and as taut.

Slowly he reared up on his knees, fighting down the sinking sensation that beset him, his hands fiercely gripping the stone. Anxiety now started shouting in him to heave the stone and be done, but, though trembling, he rose with infinite care, little by little, disclosing the back fin, the nape of the neck where the otter bites, and at last the near eye. The fish did not move. Inch by inch the stone went up until at last his own eyes were looking from underneath it. Then in one thrust he launched stone and body at the fish.

The thud of the stone on the great back was a sound of such potency that even in that wild drenching moment it sang above all else. For the stone had landed; the stone had got him! Spewing the river water forth, stumbling and falling, he reached the bank. Then both of them went berserk.

This great fish had not the slippery cunning, the evasiveness of a small salmon or grilse. It tore around like a bull in a ring. Kenn began to score direct hits more often. He was learning the way. He could throw a stone ahead; he could madden; he could stalk warily and hear ever more exultingly the singing thud.

The fatal part for a salmon is the nape of the neck. The time came when Kenn landed there heavily with the narrow stone edge; the salmon circled and thrashed as if half paralysed or blinded; Kenn with no more stones at hand launched a body attack and received one wallop from the tail that sent him flat on his back; the salmon was off again.

The end came near the neck of the pool on the side opposite the well. Here the low bank of the river widened out into a grassy field. The tired fish, with pale mouth gaping every now and then, went nosing into shallow water, where some upended flagstones might provide a new and dark retreat. But there was no hidden retreat there and Kenn, well down the pool, waited with wild hope. If it lay anywhere thereabouts until he got up, it would be finished! And it lay.

It actually lay in full view between two stones and edges, its back fin barely covered. Kenn hit it as it moved and then fell on it.

His hands went straight for the gills; one found a grip under a cheek, the other, slipping, tried for a hold on the body, and there and then began the oddest tussle that surely that river could ever have seen.

Under the burning grip of human hands, the salmon went frantic and threw Kenn about as if he were a streamer tied to its neck; the up-ended stones bashed his arms, his legs, the back of his head; the bony cheek dug into his wrist; but nothing could now dim the relentless instinct in him to roll both bodies from the shallow water on to dry land.

And this in time he accomplished. When his hand was shot from behind the cheek it drew gills with it.

The salmon flailed the dry stones with desperate violence, but Kenn was now in his own element, and ever he brought his body behind the body of the fish and shored it upwards, thrusting at the gills until his hands were lacerated and bleeding.

He dragged that fish over fifty yards into the grass park before he laid it down. And when it heaved in a last convulsive shudder, he at once fell upon it as if the river of escape still lapped its tail.

(Abridged from *Highland River*)

Kinlochbervie (1966), by John Bellany; Scottish National Gallery of Modern Art

a pan drop man

Raymond Vettese

died	My granfaither wad hae deed for a pan drop.
suck	He'd sook them day an' nicht
gums, leathered	wi toothless tortoise gooms leathert
	aifter monie years withooten dentures
worth bothering	(fickle things no warth fashin wi).
	He smelt aye o peppermint, my granfaither,
	in a suit o midnicht-blue (dooble-breisted),
	wi a temper as het as cayenne
	or guid spicy haggis, wi a bulge in's
cheeks, bulging	chouks like a haimster's baggit wi seed
	but fu in his case o yon sweets,
	twa or three at a time, clickin like
marbles, pocket, joggled	boolies in a pooch as they joogelt.
	Whaun he deed we fund a hauf
finished	feenisht paiket on the bedside table.
sickened	That wad hae scunnert him, nae doot;
	that, for him, wad be deein afore his time.
dropped a bag, not earth	We shuid hae cuist a poke o them, no yirth,
	intil the grave. God wad hae smiled, shairly,
even if	een gif yon white-faced meenister
	(a pan drop face, whit a synchronistic metaphor!)
shuddered	wad hae grued like ane that's juist sookit
sour plums (a kind of sweet)	straucht aff a pund o soor plums, things
	my granfaither wadna be seen deid wi,
	a pan drop man aa the days o his life.

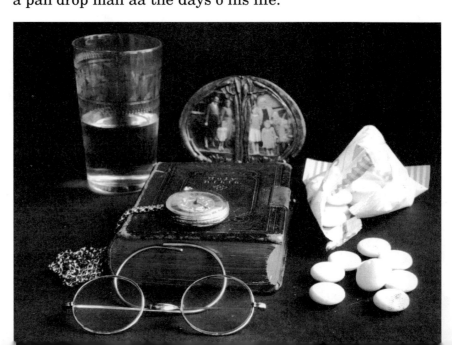

AIR MOINTEACH SHUARDAIL

Ann am beul an latha thog thu ort
gu Mòinteach Shuardail.
B' ao-coltach ris a' phampas i,
ach bha do chù ri do shàil
's bha thu còmhradh ris anns a' chainnt Spàinnich.
A' dol seachad air Loch Cheòis
chunna tu caorann a' fàs air eilean
's gun chraoibh air fàire ach i,
is chuimhnich thu air coilltean Chile,
air Punta Arenas is Santiago,
boireannaich fo chòmhdach a' mhantilla,
is fìon, is measan,
is soitheach a' fàgail cidhe Valparaiso.

Ruaraidh MacThòmais

ON SWORDALE MOOR

At daybreak you set out
for Swordale Moor.
It was hardly reminiscent of the pampas,
but you had your dog at heel
and spoke to him in Spanish.
Passing Keose Loch
you saw a rowan growing on an island,
with no other tree in sight,
and you remembered the forests of Chile,
Punta Arenas and Santiago,
women wearing the mantilla,
and wine, and fruits,
and a ship leaving the quay in Valparaiso.

Derick Thomson

A' BHIDEO

Alasdair Caimbeul

(Ruairidh a' togail a' bhideo a-mach as a' bhucas. A' seasamh leatha)

Ruairidh	Sin i! A' bhideo!
	(stad)
Murchadh	Uill, Uill. *(ri Iain Beag)* Dùil agamsa gur e briogaisean a thuirt e ...
Ruairidh	*(dòigheil)* 'S tha i cho aotram ri ite! ...
Murchadh	*(a' leughadh)* Aji Moto.
	(ri Ruairidh) 'N e ainm aon duine a tha sin, no ainm companaidh?
Ruairidh	*(a' coimhead sìos ris a' bhideo)* Dè fios a th' agamsa?
Murchadh	*(ris fhèin)* Aji
	(ri Iain Beag) Hello, Aji. Latha math an-duigh.
Iain Beag	Eil Aji agaibh tighinn a-mach a chluich?
Murchadh	Aji! Thig dhachaigh an-seo gu do theatha! ...
	(mus fhaigh Ruairidh air bruidhinn) ... Tha fhios 'am air aon rud. Chan e sloinneadh Gàidhealach a th' ann am Moto.
Iain Beag	*(ri Murchadh)* Nach e?
Murchadh	Buntanas air domhain chan eil aig an t-sloinneadh Moto ri na Gàidheil.
Ruairidh	*(guth caiseach)* Iapan! ... Dè tha ceàrr ort? Iapanach a th' ann.
	(stad ghoirid) A th' annta.
	(ri Anna) Tha mi air a dhol cho gòrach ris fhèin.
Anna	Tarraing asad a tha e ...
Ruairidh	Chan eil e glic. Tha mi duilich a chantainn riut na fhianais. Urram dhan aois etc. Ach chan eil d' athair glic.
Murchadh	*(ri Iain Beag)* 'S an dèidh sin ... le bhith smaoineachadh air ... cha chreid mise nach robh treubh air an robh na Motos mar ainm an ceann a-deas nan **Lochan** uaireigin ...
Iain Beag	An robh?
Murchadh	Cha mhòr nach mionnaichinn. Donaidh Angaidh 's John Murdo Moto.
Ruairidh	*(ri Anna)* Air a shubhailcean a chall glan buileach ..
	(ri Iain Beag) Agus sguir thusa ga bhrosnachadh 's ga phiobrachadh na ghòraich.
	(ri Anna) Eil thu mothachadh ... grioban dà bhliadhna dheug ... mar a tha e 'n còmhnaidh ga phiobrachadh 's ga bhrosnachadh?
Anna	Coma leat dhiubh! ... Dè tuilleadh a th' anns a' bhucas?
Ruairidh	*(a' cur a' bhideo sìos air an làr, 's a' dol a bhroinn a' bhucais)* Seo a-nis agam na mo làimh ... eil thu ga fhaicinn. Agnes? .. an Remote Control. Dè? Chan eil crìoch air na dh'fhaodas tu a dhèanamh leis an inneal bheag-sa ... a' UTRM, mar a tha' againn air ... sinne aig a bheil bhideos. Faodaidh tu prògram eile ... an telebhisean a chur bho channel gu channel, gun charachadh a-mach as do sheathar .. innsidh e 'n uair dhut ...
Murchadh	An gabh e amhran Gàidhlig?
Anna	Dùin do bheul, athair!
Ruairidh	... crìoch air na dh'fhaodas tu a dhèanamh leis ... *(a' toirt sùil uamhalt air* **Murchadh**, *'n uair sin a' dol dhan bhucas a-rithist)* ... aerial ... cassette a thug Tormod dhomh an asgaidh ...
Murchadh	Dè tha ceàrr oirre?
Ruairidh	... leabhar ag innse dhut mar a chuireas tu a' bhideo a dhol ... tha e cho furasda ris an ABC .. rian agad a dhol ceàrr ...
Anna	Tà, a ghràidh ... chan e thusa tha dol a dhèanamh sin?
Ruairidh	Dè rud?
Anna	... dol a chur a' bhideo a dhol ... *(a' crathadh a làmhan)* ... ri chèile?...
Ruairidh	Tha yarn agad! Cò eile?

	(Ruairidh lifts the video out of the box. Stands with it)
Ruairidh	There you are! The video!
	(pause)
Murchadh	Well, well. *(to Iain Beag)* I thought he said breeks …
Ruairidh	*(Happy)* And it's as light as a feather!
Murchadh	*(Reading)* Aji Moto.
	(to Ruairidh) Is that the name of a man, or of a company?
Ruairidh	*(Looking down at the video)* How should I know?
Murchadh	*(Quietly)* Aji.
	(to Iain Beag) Hello, Aji. Fine day today.
Iain Beag	Is your Aji coming out to play?
Murchadh	Aji! Get home here to your tea! …
	(Before Ruairidh has a chance to speak) I know one thing anyway. Moto certainly isn't a Highland surname.
Iain Beag	*(to Murdo)* Is it not?
Murchadh	The surname Moto has absolutely no connection with the Gaels.
Ruairidh	*(Annoyed)* Japan! What's wrong with you? He's Japanese. *(short pause)* *They're* Japanese.
	(to Anna) I'm almost as daft as himself.
Anna	He's just pulling your leg …
Ruairidh	He's not wise. I'm sorry to say it in your hearing. Respect for age etc. But your father is not all there.
Murchadh	*(to Iain Beag)* But … when I come to think of it … I've a feeling that there was family called Moto in South Lochs at one time …
Iain Beag	Was there?
Murchadh	I could almost swear there was. Donnie Angie and John Murdo Moto.
Ruairidh	*(to Anna)* He's gone completely off his head …
	(to Iain Beag) And you stop egging him on in his stupid carry-on.
	(to Anna) Have you noticed how that little twerp - twelve years old – is forever egging him on?
Anna	Just ignore them! What else is in the box?
Ruairidh	*(Putting the video on the floor, and looking in the box)*
	Now, here in my hand … do you see? Agnes? The remote control. What? You can't imagine the things you can do with this little device … the UTRM as we call it … we who have videos. You can choose another programme … switch the television from channel to channel, without stirring from your chair … it can tell you the time …
Murchadh	Can it sing a Gaelic song?
Anna	Be quiet, father!
Ruairidh	… it can do no end of things … *(Giving Murchadh a filthy look, and delving into the box again …)* an aerial … a cassette Norman gave me for nothing …
Murchadh	What's wrong with it?
Ruairidh	A book to tell you how to set the video up … as easy as the ABC … nothing can possibly go wrong …
Anna	But, dear … *you're* not going to do that?
Ruairidh	Do what?
Anna	Going to set the video *(shaking her hands)* … up?
Ruairidh	Of course I am! Who else?

Alasdair
Campbell

BESSIE DUNLOP

John Hodgart

ACT ONE, SCENE 6

NARR.1 In the Scotland of Bessie's time, charms, spells and superstitions were a natural part of rural life.

NARR.2 Many of them far older than Christianity.

NARR.3 They played an important part in curing illness or protecting people from various evils.

NARR.4 Folk medicine relied on the popular belief in such charms as in the use of herbs.

NARR.2 Thus Bessie Dunlop, the local midwife, soon became known as a skeelywife who had the reputation of being able to treat and cure a variety of human and animal ailments.

NARR.1 The more she helped others, and the more her fame spread, the more was expected of her.

NARR.4 People soon started seeking her help for all sorts of things.

NARR.2 And it was not long before her reputation reached the ears of the local gentry.

NARR.3 "The Lady Johnstoun, elder, sent to her a servant of the said Lady's, callit Catherine Dunlop, to help ane young gentlewoman, her dochter."

daughter

SCENE 7 Lady Johnstoun's House

(*Catherine Dunlop enters with Bessie.*)

CATH. If you'll just wait here, I'll inform my lady thet I hev brung you fur to see her.

BESSIE Thet's awfully obleeging of you, Catherine Dunlop! An whaur did ye learn tae talk wi bools in yer mooth? I've mind o ye when ye were a clarty wean, wi snotters blinnin ye!

posh, dirty

CATH. I beg your perdon.

BESSIE Ach never mind, awa an tell Lady Johnstoun that I'm here wi the medicine for her dochter.

CATH. (*as she exits*) Will you jist keep mind thet you're in Lady Johnstoun's house, an behive as befoots yer place.

BESSIE I ken ma place fine. Dae you ken yours?

(*Catherine returns with Lady J. and daughter Grizell, plus the Laird of Stainlie.*)

LADY J.   Just sit doon here Grizell dear, an tak the weight from aff your feet. How are ye
           feelin? That was a terrible attack ye had jist noo. Wasn't it dear? Oh hallo
           Mrs … Jessie … it's awfully guid o ye tae come. Isn't it dear? Oh, this is the
           Laird o Stainlie. Grizell an the Laird are aboot to be married. Aren't ye Laird?

LAIRD   (*dead slow and not very enthusiastic*) Ay.

LADY J.   Ay, well, it's an awfully worryin time for all of us. Have ye found oot what's
           troublin poor Grizell?

BESSIE   Well I think it's mibbie …

LADY J.   She's fair wastin away to a shadow, so she is.

BESSIE   A cauld...

LADY J.   Oh ay she gets awfully cauld, don't ye dear?

BESSIE   Cauld bluid …

LADY J.   No, no blood, but terrible wind she's been heving.

BESSIE   Cauld bluid!

LADY J.   Oh, awfully cauld blood, sure ye have dear?

BESSIE   Lady Johnstoun, I'm trying tae tell ye whit I think's wrang wi her.

LADY J.   Oh, I'm maist sorry, Mrs … eh..It's jist that I'm that worried aboot Grizell.

LAIRD   (*slowly*) Whit is it?

BESSIE   It's … (*waits*) … cauld bluid that goes aboot the hert.

LADY J.   Cauld blood aboot the hert?

LAIRD   (*dead slow*) Cauld bluid aboot the hert!

LADY J.   Oh my! That sounds jist awful. Whit can ye do for it?

BESSIE   Weel, I've got a mixture here that ye could try, but I'm warnin ye that it's awfu
           strong an she can only tak a wee drap at a time. It's in this jaur, but I'll need some
           ale an some sugar tae mix it wi.

LADY J.   Catherine, run ben tae the kitchen and bring a big jug o ale and the sugar bool.
           (*Catherine exits*) Whit's in the mixture, eh Mrs … eh?

BESSIE   Bessie, ma Lady.

LADY J.   Oh ay, Jessie.

BESSIE   Weel, there's cloves an ginger, an there's aniseed an liquorice aw mixed thegither
           in a wee drap o ale, an it's strained intae this wee jaur, an I jist add some mair ale
           tae thin it doon a bit, an a wee drap o sugar, jist tae sweeten it a bit, for it's an
           awfu strong mixture.

heart

jar

(*Enter Catherine with sugar and ale.*)

LADY J.	Thank you Catherine.
BESSIE	Noo, it's jist the teeniest wee drap at a time. (*Pours a small amount into the ale and scatters sugar over it.*) Here ye are, hen, jist try a wee sip of this. (*Grizell sips very warily.*) Noo, mind she's only tae hae a wee drap at a time, an it'll dae her mair guid if she taks it first thing in the mornin.
LADY J.	Oh, that's awfy guid of ye, Jessie. I'm really most obleeged tae ye. Weel, if ye'll jist step this way, the Laird here'll fetch ye the cheese an the peck o meal I promised. (*Grizell is beginning to look a bit happier.*) Noo just you sit here, Grizell dear, an tak your medicine, just like Jessie told you, and we'll be back in a meenit.

measure

(*They start to go, but the Laird is still gawping at Grizell who is now clearly beginning to like the mixture. He mistakes her smile for a sign of affection which he attempts to follow up, without success.*)

LADY J.	Laird … Laird!
LAIRD	Eh? Oh ay … aw richt, (*slowly*) I'm jist comin, (*pause*) but I think she's a bit better the day.

(*Grizell crosses to the table, pours more of the mixture into the cup and takes some more ale and sugar, which she drinks with growing pleasure. She returns for a refill and gulps it down.*)

(*LADY J. and Catherine return and immediately notice a difference.*)

CATH.	Oh Lady Johnstoun, whit's come over Miss Grizell?
GRIZELL	Shut yer face ya nebby wee besom ye!
LADY J.	Grizell! Really! It must be the medicine! (*Crosses to examine the jug.*) There's no a drap left! Oh Grizell, ye're not yersell!
GRIZELL	I've never felt better in all my whole life! (*She rises and starts moving around the room.*) I'm totally scunnert o this place an everything aboot it, an I'll be leavin at the earliest opptun … oppertance … operchance, an as soon as possible! (*hiccups*) One day soon, a handsome horse on a big white prince will come along, an take me in his arms, an … (*She spins around and is caught by the Laird, who is just returning.*) … Och, well, never mind … I suppose you'll huv tae dae. Gie's a kiss!
LAIRD	Whit?
LADY J.	Grizell, really! Have ye nae propriety?
GRIZELL	Gie's peace, mither! Gie's a kiss, Laird!
LADY J.	Grizell, whitever will the Laird think of ye?
LAIRD	Och, I don't really mind …
CATH.	That medicine must've blootered her brains!
GRIZELL	That's good shtuff … an let me tell you, it's done a lot for me an … (*She stops speaking as a look of discomfort comes across her face. She moves slowly and uncomfortably towards the exit, and then suddenly dashes off as fast as her legs will take her.*)
CATH.	I don't think we should gie her ony mair o that stuff!
LADY J.	Whit will the neighbours say?
LAIRD	I think she's a lot better the day!

nosy

fuddled

*(Tam Reid, her "familiar spirit", who was supposed to have been killed at the battle of Pinkie in 1547. Bessie "confessed" to receiving all her knowledge from him. His son, Thom, at this time was Baron officer to the Blair estate.)

NARR.1   Having established her reputation as a skeelywife, Bessie soon found that people expected her to have powers that went beyond the natural.

NARR.2   Such as an ability to resolve certain human problems.

NARR.3   Or to be able to find the whereabouts of things that were lost or stolen.

NARR.4   For many a poor woman it could even be quite profitable to be regarded as a spaewife or witchwife as wealthier people sometimes payed well for information about their stolen goods.

NARR.1   "The Lady Thirdpairt in the Barony of Renfrew sent to her and speired at her wha it was that had stolen fae her twa horns o gowd an a croun o the same, oot o her purse."

NARR.2   "And efter she had spoken wi Tam*, within twinty days, she sent her word wha had them and she got them again."

enquired of gold, crown

which, struck and punished

ewes
enquire

once
scolded
skelped, ghost's breath

yesterday
four shirts

Who have you questioned

stubborn

soon

SCENE 9   **Lady Blair's Castle**

NARR.1   "The Lady Blair (in the pairish o Dalry) sundry times had spoken wi her aboot some claithes that were stolen fae her."

NARR.2   "For the whilk she dang and wrackit her ain servants."

(*Lady Blair enters followed by Bessie.*)

LADY B   The Laird is gey pleased wi the horses ye cured last time Bessie, an Thom Reid wid like ye tae hae a leuk at some o his yowes up at the Pencot. I wantit tae speir at ye first if ye kent ony mair aboot this ither maitter that I asked ye aboot the last time.

BESSIE   Weel ma Lady I cannae prove onythin, but … hae ye checked everythin?

LADY B.   But I've been owre aw this sae mony times afore. If I've tellt the servants yince, I've tellt them a hunner times. I've speired at them, warned them, I've flytit an skytit them, but the claithes still disappear lik a boggle's braith.

BESSIE   Whit's missin noo ma Lady?

LADY B.   Leuk, here's the list. An mair things since yestreen: a pair o sheets, pillowcases, twa pair o stockins, a wheen o linen an serviettes, an fower sarks, ma best yins tae.

BESSIE   Wha hae ye speired at ma Lady?

LADY B.   Them aw: Janet, Nancy, Mary, Madge, young Robert, an even auld Wull.

BESSIE   Is there onybody else ever in the hoose, ma Lady?

LADY B.   Apairt fae young Thom Reid, the Laird's officer, only ma ain faimily, oh an Margaret, but …

BESSIE   Margaret ye say?

LADY B.   Margaret Symple. She's kin o relatit, an she's been in ma service for a year or twa noo.

BESSIE   Oh ay that Margaret. Hae ye asked her aboot the things?

LADY B.   Naw, for she's ma kinswoman's lassie. Shairly ye dinnae think...she widnae..?

BESSIE   Weel ma Lady, I ken she has some gey fancy washins tae hing oot, an there's a wheen o folk hae their doots aboot her.

LADY B.   I'm beginning tae hae ane or twa masel.

BESSIE   I dinnae like speakin ill o onybody ma Lady, but she can be a gey ill-willed thrawn wee lassie.

LADY B.   Ay an noo that I think aboot it, she wis askin Thom Reid for mair money a while back, but she hasnae been sae bothered aboot it since.... Richt, I'll suin get tae the bottom o this! Thank ye Bessie. Noo, efter ye've seen tae Thom's yowes, come doon tae the side door, an I'll hae some bits o claithes ready for yer weans. (*exeunt*)

NARR.1   Thus Bessie's reputation for finding stolen goods soon spread into neighbouring parishes.

NARR.2   And her "powers" were much sought after by people in authority.

NORTH-EAST NINETIES RAP

Sheena Blackhall

Tweedledee telt Tweedledum
Nae room for Scots on the Curriculum.
Shakespeare, Milton, a Rodin sculpture,
Great … bit gies a smachrie o the Scottish culture.
Computin? Newton? Yer root-toot-tootin,
At wird processin we're high-falutin!
Home Economics? It's a rave;
We're aa hum-dingers wi a micro-wave.
Dance an Drama … here we go
Reelin in a Doric video!
Shell-suit, trainers, T-shirt, kickers:
Sports bug clartit up wi trendy stickers.
Chinos; Levis; Pepes; Lees;
Project folder on the Pyrenees.
Hubble, bubble, the oil brings double
The price o fish and wi half the trouble.
Crisps, coke, Wimpy – we like faist food
Consumin aa the action in the neighbourhood.
Fae Banchory tae Buckie tae San Francisco,
We like tae pairty wi a roller disco!
Nineties, pine trees – deid wi acid rain;
Waste disposal dreepin doon the drain:

We are the friens o the Green revolution,
We're the generation stoppin the pollution.

Play fair auldies … leave some spare:
Save us a daud o the ozone layer!

dash

bag, covered

party

dripping

wrinklies
piece

BLACK ANDIE'S TALE OF TOD LAPRAIK

Robert Louis Stevenson

It was in the year seeventeen hunner and sax that the Bass cam in the hands o the Da'rymples, and there was twa men soucht the chairge of it. Baith were weel qualified, for they had baith been sodgers in the garrison, and kent the gate to handle solans, and the seasons and values of them. Forby that they were baith – or they baith seemed – earnest professors and men of comely conversation. The first of them was just Tam Dale, my faither. The second was ane Lapraik, whom the folk ca'd Tod Lapraik maistly, but whether for his name or his nature I could never hear tell. Weel, Tam gaed to see Lapraik upon this business, and took me, that was a toddlin laddie, by the hand. Tod had his dwallin in the lang loan benorth the kirkyaird. It's a dark uncanny loan, forby that the kirk has aye had an ill name since the days o James the Saxt and the deevil's cantrips played therein when the Queen was on the seas; and as for Tod's house, it was in the mirkest end, and was little liked by some that kenned the best. The door was on the sneck that day, and me and my faither gaed straucht in. Tod was a wabster to his trade; his loom stood in the but. There he sat, a muckle fat, white hash of a man like creish, wi a kind of a holy smile that gart me scunner. The hand of him aye cawed the shuttle, but his een was steeked. We cried to him by his name, we skirled in the deid lug of him, we shook him by the shouther. Nae mainner o service! There he sat on his dowp, an cawed that shuttle and smiled like creish.

"God be guid to us," says Tam Dale, "this is no canny!"

He had jimp said the word, when Tod Lapraik cam to himsel.

"Is this you, Tam?" says he. "Haith, man! I'm blythe to see ye. I whiles fa into a bit dwam like this," he says; "it's frae the stamach."

Weel, they began to crack about the Bass and which of them twa was to get the warding o't and by little and little cam to very ill words, and twined in anger. I mind weel, that as my faither and me gaed hame again, he cam ower and ower the same expression, how little he likit Tod Lapraik and his dwams.

"Dwam!" says he. " I think folk hae brunt far dwams like yon."

Aweel, my faither got the Bass and Tod had to go wantin. It was remembered sinsyne what way he had ta'en the thing. "Tam," says he, "ye hae gotten the better o me aince mair, and I hope," says he, "ye'll find at least aw that ye expeckit at the Bass." Which have since been thought remarkable expressions.

At last the time came for Tam Dale to take young solans. This was a business he was weel used wi, he had been a craigsman frae a laddie, and trustit nane but himsel. So there was he hingin by a line an speldering on the craig face, whaur it's hieest and steighest. Fower tenty lads were on the tap, hauldin the line and mindin for his signals. But whaur Tam hung there was naething but the craig, and the sea belaw, and the solans skirling and flying. It was a braw spring morn, and Tam whustled as he claught in the young geese. Mony's the time I heard him tell of this experience, and aye the swat ran upon the man.

It chanced, ye see, that Tam keeked up, and he was awaur of a muckle solan, and the solan pyking at the line. He thocht this by-ordinar and outside the creature's habits. He minded that ropes was unco saft things, and the solan's neb

---

sought, custody
way
gannets (solan geese)

(tod = fox)

dwelling, street
to the north of
tricks

darkest, knew
unlatched, weaver
kitchen
tallow, made me sick
moved, shut
yelled, ear
backside, worked

hardly
glad
daydream
chat
parted

burnt for

since then

rockman
sprawling
highest and steepest
looking out

dragged
sweat
looked, big
pecking, extraordinary
beak

and the Bass Rock unco hard, and that twa hunner feet were raither mair than he would care to fa.

"Shoo!" says Tam. "Awa, bird! Shoo, awa wi ye!" says he.

The solan keekit down into Tam's face, and there was something unco in the creature's ee. Just the ae keek it gied, and back to the rope. But now it wroucht and warstlt like a thing dementit. There never was the solan made that wroucht as that solan wroucht; and it seemed to understand its employ brawly, birzing the saft rope between the neb of it and a crunkled jag o stane.

There gaed a cauld stend o fear into Tam's heart. "This thing is nae bird," thinks he. His een turnt backward in his heid and the day gaed black aboot him. "If I get a dwam here," he thoucht, "it's by wi Tam Dale." And he signalled for the lads to pu him up.

And it seemed the solan understood about signals. For nae sooner was the signal made than he let be the rope, spried his wings, squawked out loud, took a turn flying, and dashed straucht at Tam Dale's een. Tam had a knife, he gart the cauld steel glitter. And it seemed the solan understood about knives, for nae sooner did the steel glint in the sun than he gied the ae squawk, but laigher, like a body disappointit, and flegged aff aboot the roundness of the craig, and Tam saw him nae mair. And as sune as that thing was gane, Tam's heid drapt upon his shouther, and they pu'd him up like a deid corp, dadding on the craig.

113

strange
worked
wrestled, gone crazy, work
work well, grinding
wrinkled, sharp edge
thrill
went
fainting fit, over

spread
straight, eyes, made

lower
flew

body, bouncing

A dram of brandy (which he went never without) broucht him to his mind, or what was left of it. Up he sat.

"Rin, Geordie, rin to the boat, mak sure o the boat, man – rin!" he cries, "or yon solan'll have it awa," says he.

The fower lads stared at ither, an tried to whilly-wha him to be quiet. But naething would satisfy Tam Dale, till ane o them had startit on aheid to stand sentry on the boat. The ithers askit if he was for down again.

"Na," says he, "and niether you nor me," says he, "and as sune as I can win to stand on my twa feet we'll be aff frae this craig o Sawtan."

Sure eneuch, nae time was lost, and that was ower muckle; for before they won to North Berwick Tam was in a crying fever. He lay aw the simmer; and wha was sae kind as come speiring for him, but Tod Lapraik! Folk thocht afterwards that ilka time Tod cam near the house the fever had worsened. I kenna for that; but what I ken the best, that was the end of it.

It was about this time o the year; my grandfaither was out at the white fishing; and like a bairn, I wanted but to gang wi him. We had a grand take, I mind, and the way that the fish lay broucht us near in by the Bass, whauer we forgaithered wi anither boat that belonged to a man, Sandie Fletcher in Castleton. He's no lang deid neither, or ye could speir at himsel. Weel, Sandie hailed.

"What's yon on the Bass?" says he.

"On the Bass?" says grandfaither.

"Ay," says Sandie, "on the green side o't."

"Whatten kind of a thing?" says grandfaither. "There cannae be naithing on the Bass but just the sheep."

"It looks unco like a body," quo Sandie, who was nearer in.

"A body!" says we, and we nane of us likit that. For there was nae boat that could have broucht a man, and the key o the prison yett hung ower my faither's heid at hame in the press bed.

We keepit the twa boats closs for company, and crap in nearer hand. Grandfaither had a gless, for he had been a sailor, and the captain of a smack, and had lost her on the sands of Tay. And when we took the gless to it, sure eneuch there was a man. He was in a crunkle o green brae, a wee below the chaipel, aw by his lee lane, and lowped and flang and danced like a daft quean at a waddin.

"It's Tod," says grandfaither, and passed the gless to Sandie.

"Ay, it's him," says Sandie.

"Or ane in the likeness o him," says grandfaither.

"Sma is the differ," quo Sandie. "Deil or warlock, I'll try the gun at him," quo he and broucht up a fowling-piece that he aye carried, for Sandie was a notable famous shot in all that country.

"Haud your hand, Sandie," says grandfaither; "we maun see clearer first," says he, "or this may be a dear day's wark to the baith of us."

"Hout!" says Sandie, "this is the Lord's judgement surely, and be damned to it!" says he.

"Maybe ay, and maybe no," says my grandfaither, worthy man! "But have you a mind o the Procurator Fiscal, that I think ye'll have forgaithered wi before," says he.

This was ower true, and Sandie was a wee thing set ajee. "Aweel, Edie," says he, "and what would be your way of it?"

"Ou, just this," says grandfaither. "Let me that has the fastest boat gang back to North Berwick, and let you bide here and keep an eye on Thon. If I cannae find Lapraik, I'll join ye and the twa of us'll have a crack wi him. But if Lapraik's at hame, I'll rin up the flag at the harbour, and ye can try Thon Thing wi the gun."

Aweel, so it was agreed between them twa. I was just a bairn, an clum in Sandie's boat, whaur I thoucht I would see the best of the employ. My grandsire gied Sandie a siller tester to pit in his gun wi the leid draps, bein mair deidly again bogles. And then the ae boat set aff for North Berwick, an the tither lay whaur it was and watched the wanchancy thing on the brae-side.

Aw the time we lay there it lowped and flang and capered and span like a teetotum, and whiles we could hear it skelloch as it span. I hae seen lassies, the daft queans, that would lowp and dance a winter's nicht, and still be lowping and dancing when the winter's day cam in. But there would be folk there to hauld them company, and the lads to egg them on; and this thing was its lee-lane. And there would be a fiddler diddling his elbock in the chimney-side; and this thing had nae music but the skirling o the solans. And the lassies were bits o young things wi the reid life dinnling and stending in their members; and this was a muckle, fat, creishy man, and him fa'n in the vale o years. Say what ye like, I maun say what I believe. It was joy was in the creature's heart; the joy o hell, I daursay: joy whatever. Mony a time I have askit mysel why witches and warlocks should sell their sauls (whilk are their maist dear possessions) and be auld, duddy, wrunklt wives or auld, feckless, doddered men; and then I mind upon Tod Lapraik dancing aw they hours by his lane in the black glory of his heart. Nae doubt they burn for it in muckle hell, but they have a grand time here of it, whatever! – and the Lord forgie us!

Weel, at the hinder end, we saw the wee flag yirk up to the mast-heid upon the harbour rocks. That was aw Sandie waited for. He up wi the gun, took a deleeberate aim, an pu'd the trigger. There cam a bang and then ae waefu skirl frae the Bass. And there were we rubbin our een and lookin at ither like daft folk. For wi the bang and the skirl the thing had clean disappeared. The sun glintit, the wund blew, and there was the bare yaird whaur the Wonder had been lowping and flinging but ae second syne.

The hale way hame I roared and grat wi the terror of that dispensation. The grawn folk were nane sae muckle better; there was little said in Sandie's boat but just the name of God; and when we won in by the pier, the harbour rocks were fair black wi the folk waitin us. It seems they had fund Lapraik in ane o his dwams, cawing the shuttle and smiling. Ae lad they sent to hoist the flag, and the rest abode there in the wabster's house. You may be sure they liked it little; but it was a means of grace to severals that stood there praying in to themsels (for nane cared to pray out loud) and looking on thon awesome thing as it cawed the shuttle. Syne, upon a suddenty, and wi the ae dreidfu skelloch, Tod sprang up frae his hinderlands and fell forrit on the wab, a bluidy corp.

When the corp was examined the leid draps hadnae played buff upon the warlock's body; sorrow a leid drap was to be fund; but there was grand-faither's siller tester in the puddock's heart o him.

(Abridged from *Catriona*)

---

climbed
action
silver sixpence
evil spirits, one
dangerous

little spinning top, shriek

all alone
elbow
screeching
tingling and leaping
flabby, fallen

ragged, wrinkled

forgive
jerk

ground
before

several (persons)

shriek
seat, web, corpse
made no impression
not a single
toad's

NA LOCHLANNAICH A' TIGHINN AIR TIR AN NIS

Nuair thàinig a' bhirlinn gu tìr
nuair a tharraing iad i
air gainmheach a' Phuirt,
ged a bha am muir gorm,
's a' ghainmheach geal,
ged a bha na sìtheanan a' fàs
air dà thaobh an uillt,
is feur gorm a's na claisean,
ged a bha ghrian a' deàrrsadh
air bucaill nan sgiath,
air na clogadan,
is àile liathghorm an eòrna air na h-
iomairean,
ged a bha sin mar sin
is sian nan tonn air an cùlaibh,
an t-sùlaire a' tuiteam à fànas,
is cop air bainne blàth na mara,
bha eagal orra.

Ach chaidh iad a-steach dhan an tìr,
is fhuair iad taighean
is boireannaich,
is teaghlaichean,
is bhuain iad an t-eòrna,
is chuir iad an t-eòrna,
fhuair iad eun as a' phalla,
is iasg à fairge,
thug iad ainmean air creagan 's air cloinn,
is lìon iad na saibhlean,
agus dh'fhalbh an cianalas.

Ruaraidh MacThòmais

THE NORSEMEN COMING ASHORE AT NESS

When the galley touched the shore,
when they hauled her up
on the sand at Port,
though the sea was blue,
and the sand white,
though the flowers grew
on both banks of the burn,
and green grass in the ditches,
though the sun shone
on the buckles of their shields,
on their helmets,
and there was a grey-green haze of barley on the fields,
though that was how things were,
and the roar of the waves was behind them,
the solan plunging out of space,
and foam on the warm milk of the sea,
they were afraid.

But they went up into the land,
and got houses,
and women,
and families,
and they cut the barley,
and sowed the barley,
took birds from the rock ledges,
and fish from the sea,
gave names to rocks and children,
and filled the barns,
and their homesickness went away.

Derick Thomson

From 'Unrelated Incidents' – No.3

Tom Leonard

this is thi
six a clock
news thi
man said n
thi reason
a talk wia
BBC accent
iz coz yi
widny wahnt
mi ti talk
aboot thi
trooth wia
voice lik
wanna yoo
scruff. if
a toktaboot
thi trooth
lik wanna yoo
scruff yi
widny thingk
it wuz troo.
jist wanna yoo
scruff tokn.
thirza right
way ti spell
ana right way
ti tok it. this
is me tokn yir
right way a
spellin. this
is ma trooth.
yooz doant no
thi trooth
yirsellz cawz
yi canny talk
right. this is
the six a clock
nyooz. belt up.

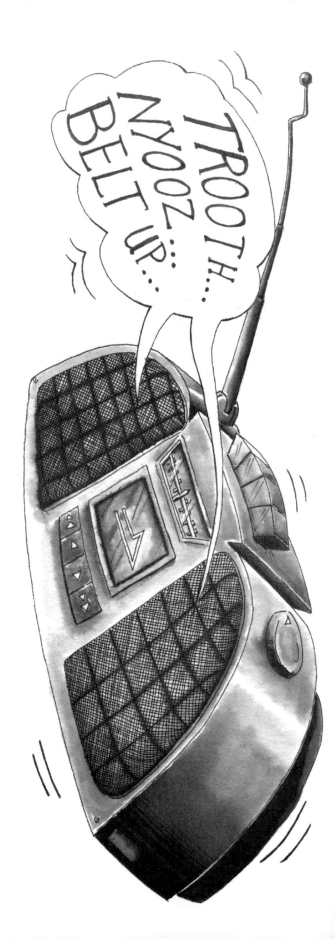

SEE YOU?

Donald Campbell

For (but no addressed to!) Marilyn Imrie

See you?

–   ye sumph
      ye saftie
      ye donnert, dosey daftie
                        – see you?
                            What are ye?

See you?

–   ye daighie
      ye dummeral
      ye gowkish, glaikit gommeral
                        – see you?
                            What are ye?

A noofie nyaff
A sair mishanter
A ginkie gyte
A chanty wrastler
A minging mess
A fousome fogel
A yellae yite
A tattie-bogle!

See you?

–   ye gawkie
      ye glaister
      ye wandocht wicht, ye waster
                        – see you?
                            What are ye?

A Scottish Hoy-you

Hugh McMillan

(A Hoy-you is an ancient Scottish verse form of 3 lines and 15 syllables, traditionally written by people who have nothing to say and addressed to people who don't want to hear it. The 1990s seem a particularly favourable context in which to re-invent this classical form.)

In the end there can be only one!

HIGHLANDER
FREE FALL

15

ADRIAN PAUL
STAN KIRSCH   ALEXANDRA VANDERNOOT
JOAN JETT   MARC SINGER

FILL-IU ORO HU O

Traditional waulking song

Sèisd	Chorus
Fill-iù oro hù o	*Fill-iù oro hù o*
Bu tu mo chruinneag bhòidheach	*you are my beautiful maiden*
Fill iù oro hù o	*Fill iù oro hù o*
Dheidhinn dhan a' ghealaich leat	I would go with you to the moon
Nan gealladh tu mo phòsadh	If you would promise to marry me
Dheidhinn leat a dh'Uibhist	I would go with you to Uist
Far am buidhicheadh an t-eòrna	Where the barley would ripen
Dheidhinn leat a dh'Eirinn	I would go with you to Ireland
Gu fèill nam ban òga	To the fair of the young women
Dheidhinn dha na rionnagan	I would go to the stars
Nam bitheadh do cuideachd deònach	If your relatives were willing
Dheidhinn leat an ear 's an iar	I would go with you east and west
Gun each gun srian, gun bhòtann	Without horse, without bridle, without boots
Mise muigh air cùl na tobhta	I, out behind the house,
'S tusa staigh a' còrdadh	you inside coming to an agreement
'S ag èisdeachd ris na h-iarlachan	Listening to the earls
gad iarraidh gus do phòsadh	Wanting your hand in marriage
'S chuala mi na ministearan	And I overhearing the ministers
A' bruidhinn air do bhòidhchead.	Discussing your beauty.

ANSWERMACHINE

W.N. Herbert

Eh amna here tae tak yir caa:
Eh'm mebbe aff at thi fitbaa,
Eh mebbe amna here at aa

but jist a figment o yir filo
conjerrt up wance oan a while-o.   conjured
Therr's mebbe tatties oan thi bile-o;

Eh'm mebbe haein a wee bit greet
owre an ingin or ma sweet-   onion
hert: or Eh'm bleedan i thi street

wi ma heid kickd in fur bein sae deep.
Eh'm mebbe here but fast asleep:
sae laive a message at thi bleep.

Sharleen: Ah'm shy

Janet Paisley

Ah'm shy. Aye, ah am. Canny look naebody in the eye.
Ah've seen me go in a shoap an jist hoap naebody wid talk tae me.
Things that happen, likesae – yer oot fur a walk
and some bloke whits never even spoke afore goes by
an he's given ye the eye. See me, ah jist want tae die.

red

Ah go rid tae the roots o ma hair. Weel it's no fair, is it?
Feel a right twit. See ma Ma. She says it'll pass.
'Ye'll grow oot o it hen.' Aye, aw right. But when?
Ye kin get awfy fed up bein the local beetroot.
So last time I went oot – tae the disco –
ah bought this white make-up. White lightening it said.

blushes

Ah thought, nae beamers the night, this stuff'll see me aw right.
Onywey, there ah wis, actin it. Daen ma pale an intrestin bit.
White lightening. See unner them flashin lights
it was quite frightnin. Cause ma face looked aw blue.
See, when a think o it noo, it was mortifyin.
Cause they aw thought ah wis dyin, an they dialled 999.
Fine thing tae be, centre o awbody's attention, me.
They hud me sat oan this chair, bit when they brought stretchers in,
ah slid oantae the flair – an jist lay there.
Ah thought, rule number one, when ye've made a fool o yersell
dinnae let oan, play the game. So ah let oot a groan an lay still.
Until this ambulance fella feels ma wrist,
an then he gies ma neck a twist – an ye'll no believe this.
Bit right there and then – he gies me a kiss.
Blew intae ma mooth, honest. God'strewth ah wis gasping fur breath.
Jist goes tae show yer no safe, naeplace these days.
Onywey ah blew right back, that made him move quick.
Fur he says are you aw right, are ye gaun tae be sick.
That's when ah noticed his eyes – they were daurk broon.
An staring right intae them made ma stomach go roon.
Ah felt kinda queer, an he says, c'mon we'll get ye oot o here.
Bit ah made him take me right hame – though ah'm seein him again,
the morra. Aw the same, how kin ah tell him dae ye suppose,
that when ye kiss a lassie, ye dinnae haud her nose?

The First Date

Sandra Savage

Eh me im at the dancin and I thoucht richt fae the start,
Wi this handsome lad eh didna stand a chance,
But the fates wir on mi side, as the band struck up a tune,
Cause he crossed the flair an asked me up to dance.

Hi wiz like a filum star, wi hees Tony Cur'is hair.
An his bee'le crusher shoes o navy blue.
Then he sed the majic wurds, 'Kin i tak yi up the road …
Eh'm fae Fintry, is that enywhar near you?'

Jist a lass o sweet sixteen, but eh felt jist like a queen,
As we sauntered oot the dancehall tae the street.
There wiz no much conversation … the strong and silent type
Jist like Elvis, an he swept me aff mi feet.

Well, he took me ti mi door, an he asked me fur a date,
'Eny plans for Friday evenin?' said mi beau,
'We kin meet at Samuel's coarner, aboot seeven wid be fine,
Then wi'll mak wir minds up whar wi want ti go.'

A tha' week eh walked on air, ironed mi frock and washed mi hair,
Efter aa this wiz mi furst real hivvy date,
An come Friday aa aglow, eh set oot ti meet mi beau,
Laving early, so eh widna git there late.

There eh stood aneath the clock, in mi freshly ironed frock,
Aa excited wi masel an feelin chuffed,
Half past seeven, he wiz late, there wiz still nae sign a' eight,
Frozen stiff, eh turned ti go, eh hid been duffed.

Broken herted, hame ah went, an mi mither sed she kent
How a felt, but eh'd git ower it in time,
Well eh did, but there's nae doot, *now* when fellahs ask me oot,
Eh say, 'Pick me up at meh place,' ivry time.

I met him

floor

THE BROONS

THE PEERIE GRANDSON

C.M. Costie

"He's no a bonny bairn," said sheu,
An sheu lached an lukk'd at me,
"Wae sic a muckle bleupsy face,   **round, fat**
An peerie glinderan ee.   **small, half open eyes**
His lugs stick oot, an his ravsey heid's   **tousled head/hair**
As coorse as a burrie brae.   **hill covered in rough grass**
Na, na, he's far fae bonnie,
Care I no whit folk say!"

"Bit he'll be a man at man's behave   **doing a man's work**
Whin thee an me's baith deed,
An he'll be eeble teu," I said,   **able too**
"Tae win his daily breed.
A bairn that's witty, an weel, an strong
An can run, an hear, an see,
Hid maks nee odds aboot his luks,
He's a bonnie bairn, tae me."

Sheu couldna see i the turn o his cheek,
The face o Jock, me man,
Nor yet i the shape o his peerie knevs   **little fists**
Me faither's wark-worn haan;
Sheu couldna see, as he lached tae me,
The glisk o me mither's face,   **look**
As she turned i the lowe of the baekeen fire,   **light, baking**
Sayan, "Bairns, noo, be apace!"   **quiet**

Hoo could sheu ken that the soond o his voice
Is the marrows o een lang gane,   **likeness of one long gone**
Echoan doon the years tae me
As I sit by the fire, alane;
Or ken that the luk o his ravsey heid,
An the feel o his thick yellow hair,
Taks a lump tae me hass for me peerie lass   **throat**
Asleep i the Kirkyaird there.
Bit weel deu I ken that the Saviour o aa,
The Gae'er an Taaker o men,   **Giver**
His happid them aa i a bundle sma,   **wrapped**
An gaen me them back again.

DITHIS

A Mac a' Ghobhainn, Sgoil Lìonail

Cha tig an aois leatha fhèin,
cha tig gu dearbha.
Bodach na shuidhe leis a' phàipear
a' bruidhinn air Montana
agus twins nan caorach bhàna.

Cailleach a' brunndal rithe fhèin.
A' togail a sùilean
's a' coimhead ris a' ghleoc
a fhuair i ann an Yarmouth.

Bithidh esan a' bruidhinn
air Cassius Clay,
air prìs na clòimh' ("Dèan copan tè"),
air Winnipeg
far an robh i cho fuar
's gu robh anail nan each
reòite
tighinn a-mach às am beul.

Bha pòsadh-a'-chlobha ann an taigh Iain Mhòir
agus phòs iad mi ri Dòmhnall Bàn.
("Feuch nach leig thu an teine bàs.")
Obh, Obh, fuachd mo chnàmhan
's mi nach eil cho math 's a bha mi.

Air a' *Carmania*
bha iad a' tilgeil
nan cuirp thar a' chliathaich ...
corp Dholaidh T. cuideachd
ach chuir Dan stad òrra ...

Bha mis' ann an Yarmouth -
's bha sinn air an àirigh -
na h-àirighean fad' às -
Dh'fhalbh iad, na làithean -
cha tig an t-àm sin air ais ...

Bodach is cailleach
nan suidh' aig an teine,
a' feitheamh ri cuireadh
gu saoghal
mòr
eile.

TWO PEOPLE

A Smith, Lionel School

Old age does not come alone,
no indeed.
An old man sitting with the paper
talking of Montana
and the twins of the white-faced sheep.

An old woman muttering to herself.
Lifting her eyes
and glancing at the clock
she bought in Yarmouth.

He goes on about
Cassius Clay,
the price of wool ("Make a cup of tea"),
about Winnipeg
where it was cold enough
to freeze the horses' breath
when they opened
their mouths.

They had a 'tongs wedding' in Iain Mòr's house
and they married me and Dòmhnall Bàn.
("Don't let the fire go out.")
Oh dear, my bones are so cold,
I am not as well as I used to be.

On the *Carmania*
they were throwing
the bodies overboard …
Dolly T's body too
but Dan wouldn't let them …

I was in Yarmouth –
and we were at the shieling –
the shieling's so far away –
They've gone, those days –
that time will not come back …

An old man and an old woman
sitting by the fire,
waiting for an invitation
to another
great
world.

SHANKIE'S TALE

Stanley Robertson

Shankie, so nicknamed for his great love of ham shanks, is a widower aged about fifty. He likes to make scrubbers and pegs, and sells them in exchange for skins and horse hair.

Aye time aboot seven years ago, it wis an awfy bonnie summer, an I wis hackin ma stock roon the hooses near Newburgh; an I got awfy scunnered daein it.

Weel, it wis sic a fine day and seeing I wis near the Ythan, I thought I wid dae some pearl fishing. Noo amongst my stock, I had a good clear glass joog that wid dae me jist fine for looking roon the sanny river. Oh! but the water looked guid as I strips aff ma claes tae tak a dook, and there are a gey lot o shells in the waater, but naething tae really boast aboot, for it's only ower tae the rocks in the deeper waater, can ye get onything worthwhile. Noo there ye might find bigger shells wae crooks an runs ontae them, an that's the kind o shell I wis deeking for, so I waded up the river till I came upon a deeper pool o waater, whar the better shells wid be.

Aifter being aboot an hour in the Ythan, I wis aware that there wis this gadgie deeking at me frae the ither side o the waater; he wis on the deep, rocky side an I thought he must hae been an aufy size o a pottachan, because o the deepness o the waater there – he wis a very dark curly-heided man, an he must hae been an awfy good sweemer.

This gadgie waved ower tae me, an he telt me that the shells at his side were far better than onything I wid get in the sanny end. Oddly enough, pearls that ye find in the sanny side o the river are nae use, because the moment that ye tak them oot o the waater, they lose their lustre an turn like lead.

Ony wye or anither, the goori shouts ower tae me tae come ower an cadge on his side o the river; wi his tellin mi aboot the big shells on that side o the waater, I wis tempted tae gang ower. Every step I took in the waater, it got deeper and deeper. The waater wis up past my waist an I telt him it wis too dangerous tae gang oot ony farther. The man assured me the waater wid start tae get shallower. Then, before I kent, the waater wis up tae my neck, yet still the gadgie kept beckonin me ower, but I felt I wis gan tae droon.

For some reason, something telt me tae look through the glass joog tae the river bed, and lo and behold, I saw the gadgie's feet: they were cloven!

---

hawking, fed-up

jug, sandy
clothes, dip

grooves, lines
looking

man, looking
geezer

He must hae stood aboot seven feet high an he wis a *Waater Kelpie*. My heart jumped tae my mooth … an nae being much o a sweemer, I started tae back up on tae the shallow sanny side of the Ythan. Shanish! The big goori started tae come aifter me …

Frantically, I got tae the ither side again, yet still he cam aifter me oot o the waater … My! He wis a huge crature – half-man an half-horse … an in the waater the Kelpie is a very powerful beast – if ye gang on his back he will tak ye doon tae the depths o the waater – an droon an eat ye.

But see, I could rin in thae days, so I rin like the livin win for my bare death an life! Shaped like a horse he may hae bin, but he couldna rin on the lan wi the same speed that he can dee in the waater.

Since that time I hae bin very careful gang near the Ythan, in case I run intae the Waater Kelpie again … Onywye, I never got onything that time frae the river, though I got a guid spell in the River Don, where I fund a braw, big, lustre, salmon-pink pearl an I selt it for twenty-five pounds in Brechin – an twenty-five rege is nae tae be sniffed at!

Wow!

creature

going

sovereigns

THE WEE MAGIC STANE

John McEvoy

Oh the Dean o' West-min-ster wis a pow-er-ful man. He held a' the strings o' the state in his hand. But with all this great busi-ness it flust-ered him nane, Till some rogues ran a-way wi' his wee ma-gic stane, Wi' a too-ra-li-oor-a li-oor-a-li-ay.

Noo the stane had great powrs that could dae such a thing
And withoot it, it seemed, we'd be wantin a king,
So he called in the polis and gave this decree,
"Go an hunt oot the Stane and return it tae me."

rushing

So the polis went beetlin up tae the North
They huntit the Clyde and they huntit the Forth
But the wild folk up yonder jist kiddit them aw
Fur they didnae believe it was magic at aw.

Noo the Provost o Glesca, Sir Victor by name,
Was awfy pit oot when he heard o the Stane.
So he offered the statues that staun in the Square
That the high churches' masons might mak a few mair.

When the Dean o' Westminster wi this was acquaint,
He sent fur Sir Victor and made him a saint,
"Now it's no use you sending your statues down heah,"
Said the Dean, "But you've given me a jolly good ideah."

So he quarried a stane o the very same stuff
An he dressed it aw up till it looked like enough.
Then he sent for the Press and announced that the Stane
Had been found and returned to Westminster again.

When the reivers found oot what Westminster had done,
They went aboot diggin up stanes by the ton
And fir each wan they feenished they entered the claim
That *this* was the true and original stane.

Noo the cream o the joke still remains tae be tellt,
Fur the bloke that was turnin them aff on the belt
At the peak o production was so sorely pressed
That the real yin got bunged in alang wi the rest.

So if ever ye come on a stane wi a ring
Jist sit yersel doon and appoint yersel King.
Fur there's nane wud be able to challenge yir claim
That ye'd croont yersel King on the Destiny Stane.

robbers

assembly line

thrown

crowned

SIR PATRICK SPENS

The King sits in Dunfermline town,
Drinking the blude-red wine;
"O where will I get a skeely skipper,
To sail this new ship of mine?"

O up and spake an eldern knight,
Sat at the King's right knee:
"Sir Patrick Spens is the best sailor,
That ever sailed the sea."

Our King has written a braid letter,
And sealed it with his hand,
And sent it to Sir Patrick Spens,
Was walking on the strand.

To Noroway, to Noroway,
To Noroway ower the faem;
The King's daughter of Noroway,
'Tis thou maun bring her hame.

The first word that Sir Patrick read,
Sae loud loud laughed he;
The neist word that Sir Patrick read,
The tear blinded his ee.

"O wha is this has done this deed
And tauld the King o me,
To send us oot, at this time of year,
To sail upon the sea?"

"Be it wind, be it weet, be it hail, be it sleet,
Our ship must sail the faem;
The King's daughter of Noroway,
Tis we must fetch her hame."

They hoysed their sails on Monanday morn
Wi aa the speed they may;
They hae landed in Noroway
Upon a Wodensday.

THE RETURN

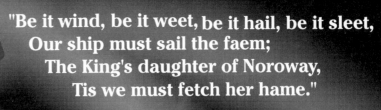

"Mak ready, mak ready - my merry men aa!
Our gude ship sails the morn."
"Now, ever alack, my master dear.
I fear a deadly storm!

"I saw the new moon, late yestreen,
Wi the auld moon in her arm;
And if we gang to sea, master,
I fear we'll come to harm."

They hadna sailed a league, a league,
A league but barely three,
When the lift grew dark,and the wind blew loud,
And gurly grew the sea.

The anchers brak, and the topmasts lap,
It was sic a deadly storm;
And the waves cam ower the broken ship
Till aa her sides were torn.

"Gae, fetch a web o the silken claith,
Anither o the twine,
And wap them into our ship's side,
And let nae the sea come in."

They fetched a web o silken claith,
Another o the twine,
And they wapped them round that gude ship's side,
But still the sea cam in.

O laith, laith, were our gude Scots lords
To weet their cork-heeld shoon!
But lang or aa the play was playd
They wat their hats aboon.

And mony was the feather bed,
    That flatterd on the faem;
And mony was the gude lord's son,
    That never mair cam hame.

O lang, lang may the ladyes sit,
Wi their fans into their hand,
    Before they see Sir Patrick Spens
    Come sailing to the strand!

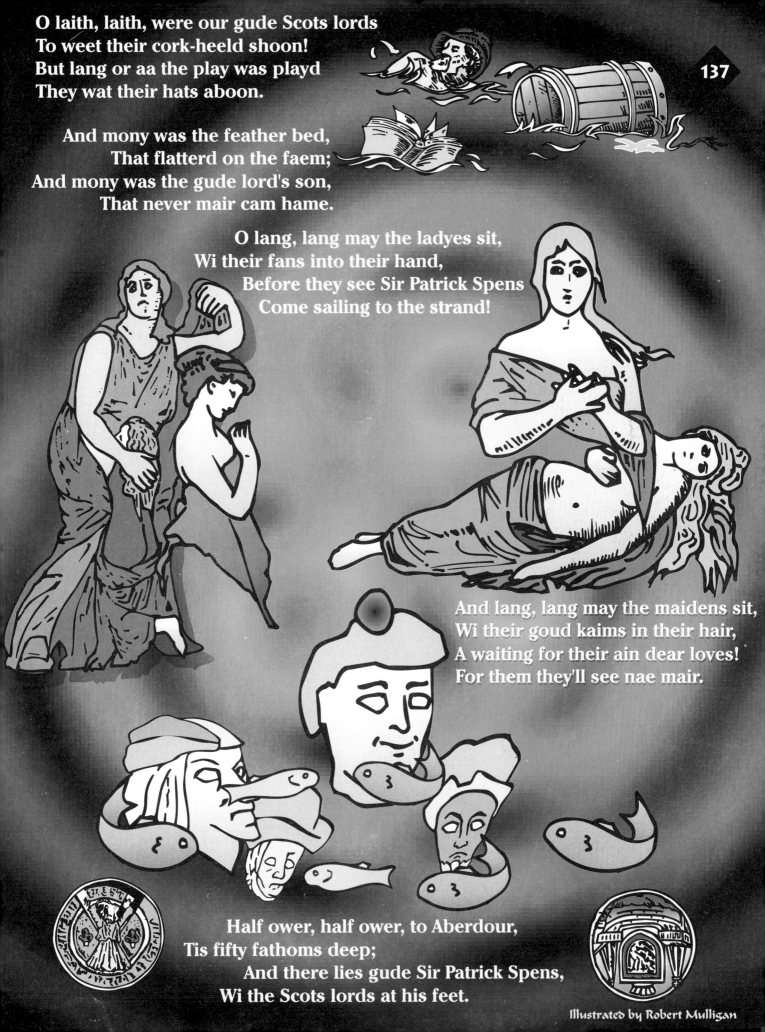

And lang, lang may the maidens sit,
Wi their goud kaims in their hair,
A waiting for their ain dear loves!
For them they'll see nae mair.

Half ower, half ower, to Aberdour,
Tis fifty fathoms deep;
    And there lies gude Sir Patrick Spens,
Wi the Scots lords at his feet.

Illustrated by Robert Mulligan

'S DIA MOR GAR BEANNACHADH

Anns na làithean a dh'fhalbh bha daoine gu mòr an urra ri math na bà. 'S e seòrsa de òran beannachaidh a tha seo far a bheil am bàrd ag iarraidh air Dia math na bà a bheannachadh.

'S Dia mòr gar beannachadh
'S an t-Athair naomh gar beannachadh
Chan fhaod sùil ar cronachadh
Thoir am bainne bhò dhonn

Thoir a' bhò dhonn am bainne
Thoir am bainne bhò dhonn
Coisichean a' tighinn on bhaile
Thoir am bainne bhò dhonn

Thoir a' bhò dhonn am bainne
Thoir am bainne bhò dhonn
Thoir e gu trom 's gu torach
Thoir am bainne bhò dhonn

MAY GREAT GOD BLESS US

In days gone by people were very much dependent on the cow for food. Here is a type of blessing where the poet asks God to bless the produce of the cow.

May great God bless us
May the Holy Father bless us
No eye can be allowed to rebuke us
Give milk, brown cow

Brown cow give milk
Give milk brown cow
Walkers coming from the village
Give milk brown cow

Brown cow give milk
Give milk brown cow
Give it full and plenteously
Give milk brown cow

23RD PSALM
SHEPHERD'S VERSION

Catherine Harvey

Wha is my Shepherd, weel I ken,
The Lord Himsel is He ;
He leads me whaur the girse is green,   **grass**
An burnies quaet that be.

Aft times I fain astray wad gang,
An wann'r far awa;
He fins me oot, He pits me richt,
An brings me hame an aw.

Tho I pass through the gruesome cleugh,   **dreadful gorge**
Fin I ken He is near ;
His muckle crook will me defen,   **great shepherd's stick**
Sae I hae nocht to fear.   **nothing**

Ilk comfort whilk a sheep could need,   **Each, which**
His thochtfu care provides ;
Tho wolves an dogs may prowl aboot,
In safety me He hides.

His guidness an His mercy baith,   **both**
Nae doot will bide wi me;   **stay**
While faulded on the fields o time,   **folded**
Or o eternity.

Empty Vessel

Hugh MacDiarmid

beyond I met ayont the cairney
tangled A lass wi tousie hair
Singin till a bairnie
That was nae langer there.

winds Wunds wi warlds to swing
Dinna sing sae sweet,
The licht that bends owre aa thing
Is less ta'en up wi't.

CRAGSMAN'S WIDOW

Robert Rendall

wandering "He was aye vaigan b the shore
sea cliffs An climman amang the craigs,
catching fulmars in a net Swappan the mallimaks,
gull's eggs Or taakan whitemaa aiggs.

1st August "It's six year bye come Lammas,
fell from the cliff-face Sin he gaed afore the face,
An nane but an aald dune wife
Was left tae work the place.

"Yet the sun shines doun on aa thing,
The links are bonnie and green,
ground beside the sea An the sea keeps ebban an flowan
ebbing, flowing As though it had never been."

p 141 (opposite):
A Hind's Daughter (1883),
by Sir James Guthrie;
National Gallery of Scotland

CLACH AN TRUISEIL

Dhìrich iad oir na tràghad leatha,
a' chlach mhòr ud 's iad ga slaodadh
's ga togail thar chreig is thar mhonadh.
Seachd fichead dhiubh air an còmhdach le clòimh
mar chaoraich. Dà thrian dhith fon talamh
is trian ri aghaidh na grèine chuir iad an sàs i;
le faram neo-chumanta chaidh iad timcheall oirre le
adhradh Dhraoidhean.
Chunnaic i ceusadh, marbhadh, mort,
geamhraidhean, samhraidhean is earraich,
ach cha do ghluais i 's i uaine le aois.

C Nic Leòid

THE TRUSHAL STONE

They climbed the shoreline with it,
that great stone they were dragging
and lifting across rocks and moorland.
One hundred and forty of them covered in fleece
like sheep. With two-thirds of it underground
and one-third facing the sun, they set it;
with a strange chanting they encircled it with
the worship of Druids.
It has seen sacrifices, death, murder,
winters, summers and springs,
unmoving and green with age.

C MacLeod

The Poacher to Orion

Violet Jacob

November-month is wearin by,
The leaves is nearly doon;
I watch ye stride alang the sky
O nichts, my beltit loon.   **belted boy**

The treetaps wi their fingers bare
Spread between me and you,
But weel in yonder frosty air
Ye see me keekin through.   **looking**

At schule I lairnd richt wearilie,
The Hunter was yer name;
Sma pleasure were ye then tae me,
But noo oor trade's the same.

But ye've a brawer job nor mine   **finer, than**
And better luck nor me,
For them that sees ye likes ye fine
And the pollis lets ye be;   **police**

We're baith astir when men's asleep;
A hunter aye pursued,
I hae by dyke an ditch tae creep,
But ye gang safe an prood.

What maitter that? I'll no complain,
For when we twa are met
We hae the nicht-watch for oor ain
Till the stars are like tae set.

Gang on, my lad. The warlds owreheid
Wheel on their nichtly beat,
And ye'll mind ye as the skies ye treid   **tread**
O the brither at yer feet.

GIN I WAS GOD

Charles Murray

If, above	Gin I was God sittin up there abeen,
Wearied, labour, done	Weariet nae doot noo aa my darg was deen,
Fed up, unending	Deaved wi the harps an hymns oonendin ringin,
hoarse	Tired o the flockin angels hairse wi singin,
stroll, faith	To some clood-edge I'd daunder furth an, feth,
going, underneath	Look ower an watch hoo things were gyaun aneth.
Then, if	Syne, gin I saw hoo men I'd made mysel
poison, shoot and kill	Had startit in to pooshan, sheet an fell,
plunder	To reive an rape, an fairly mak a hell
beautiful, turning	O my braw birlin Earth, – a hale week's wark –
take off, roll up my shirt sleeves	I'd cast my coat again, rowe up my sark,
before, launch	An, or they'd time to lench a second ark,
flood	Tak back my word an sen anither spate,
whole of everything, wipe the slate	Droon oot the hale hypothec, dicht the sklate,
Confess, table	Own my mistak, an, aince I'd cleared the brod,
everything	Start aathing ower again, gin I was God.

CROWDIEKNOWE

Hugh MacDiarmid

Oh to be at Crowdieknowe
When the last trumpet blaws,
An see the deid come loupin owre — *jumping*
The auld grey wa's.

Muckle men wi tousled beards,
I grat at as a bairn
'll scramble frae the croodit clay — *crowded*
Wi feck o swearin. — *a lot*

An glower at God an aa his gang
O angels i the lift — *heavens*
— Thae trashy bleezin French-like folk — *bragging*
Wha gar'd them shift. — *made*

Fain the weemun-folk'll seek — *Gladly*
To mak them haud their row
— *Fegs, God's no blate gin he stirs up* — *Gosh, scared if*
The men o Crowdieknowe!

MANSIE'S THRESHING

Robert Rendall

starry sky	The mune was up, and the starnie lift
	Luk'd doun wi an eerisome licht,
rose up, box bed	As Mansie ap-raise fae his neuk-bed
	In the wee sma oors o the nicht.
	Green O green grew the corn.
belt of Orion, east	The Lady's Elwand was high in the aist
star	Wi mony anither starn,
	When Mansie ap-raise fae his neuk-bed,
	And syne gaed through tae the barn.
	Green O green grew the corn.
	He saa the mune-beams glint on the waa
	Lik spooks on kirk-yaird graves,
cross beams	As doun fae the twart-backs he tuke the flail
	Tae thresh oot his load o shaeves.
	O bonnie and green grew the corn.
shook	He grippid a shaef, he rissld the heid,
cast, upon	He cuist it apae the floor.
Let the fairies take me	"Trow tak me," he said, "if shaeves lik this
	Were seen on the place afore."
	Green O green grew the corn.
hinted darkly, say	"The neebors minted what nane wad neem
mound, plough	When the knowe cam under the pleugh;
	But heth, the stooks were cairted heem,
built, small stack	And biggid a denty skroo."
	Green O green grew the corn.
Those who, Pictish mounds	"Wha meddle wi Pickie-knowes, said they,
misfortune	Ill-skaith wad them befa –
strange thing	But never a ferlie cam near me,
at all	Nor ever a thing ava."
	O green grew the corn on the knowe.
The head of the flail	The soople, swung abune his heid,
	Had twirled but three times three.
	When Mansie afore him bi the waa
awesome	An aasome sight did see.
	Green O green grew the corn.

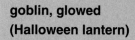

A black-haired bockie, wi een that lowed
Lik the flame in a howkit neep,
A faersomlik mooth wi a yellow tooth,
And lugs that hung in a fleep.
O bonnie and green grew the corn.

It glowered and gloomed, till the haet haet bluid
Louped fast in Mansie's veins,
For the bockie's flail, baith soople and staff,
Wis a deid man's white shank-banes.
O green on the knowe grew the corn.

Then up spak Mansie and stootly said,
"A'm blide o thee company,
But bees thoo Pight, or barrow-wight,
Come thresh fornent o me."
O bonnie and green grew the corn.

goblin, glowed
(Halloween lantern)

ears, loose fold

scowled, hot hot blood
Leapt
head and handle

bravely
happy
Pict, or creature from the
grave-mound)   (in front

148

animals, straw bundles

chest for storing meal
barley

grain seeds sprang up

dust
heaps, straw

lamp
red, crow

"For the baists maun be fed, and the windlins spread,
Though the world be fu o spooks
The corn be milld and the girnel filld
Wi bere fae the guid corn stooks."
Green, green grew the corn on the knowe.

Aa through the barn the mettins spret
Lik sparks fae a smiddy fire,
And aye the stour the thicker cam
And the haeps o strae raise higher.
Green O green grew the corn.

Faster and fiercer fell the flails,
Till the mune cam roond on the wa
And the cruisie flickered and gaed clean oot,
And they heard the reid cock craa.
Green O green grew the corn.

Hoo it befell, O nane can tell,
But when they brak doon the door,
Wi bluid on his heid, they fand him deid
On an empty threshing floor.
O green grew the corn on the knowe.

They laid him in the green kirk-yaird,
But for midnights three times three,
They heard deep doun in the hert o the knowe
The soond o revelrie.
Green O green grew the corn.

Green O grew the corn,
Bonnie and green grew the corn,
Green on the knowe grew the corn-O,
Bonnie and green grew the corn.

SCOTLAND

George Ritchie

Is Scotland Aiberdeen an twaal mile roon? **twelve**
Scotland is mair nor that – a hantle mair. **than, great deal**
It's muckle hills, their riggins roch an bare, **great, high tops rough**
Lang-storied cities, mony a burgh toon,
Steen castles at were eence the nation's croon. **Stone, once, crown**
Seas tae the wast, wi islands here or there, **west**
Rivers, wids, fairms, clean in the caller air, **woods, fresh**
Mines, harbours, airports – croodin sicht an soon. **crowding**

But aye there's mair. There's his wirsels, the Scots: **us ourselves**
Heilan an Lowlan, here an hyne ootbye. **far beyond**
In aa the warl we've aye been seekin space
To bigg wir hooses, howk wir parks an plots. **build, dig, fields**
Scotland's a thocht, a state o mind. Aawye **Always**
Scotland's far we are. Scotland's ony place. **where**

Da Diary o Gideon Hunter

Peter Ratter

Beltane – 1st May

Dis diary was a present fae Aald Mam an Aald Daa becis dis wid be me first time at da haaf. I'm lookin forwirt tae it. It'll mak a change fae cetchin bait aa trowe da simmer!

I'm gaein tae wirk on a sixern wi Uncle Rasmie, an me cousin Jim. Da rest o da boys ir Magnus Isbister, Gibby Hendry, an Alec Watt. Daa wis gaein ta come wi is, bit he wis feelin pör aamos, so Gibby is taen his place. He's fair scunnered it he's no been able ta win dis year. It's his ain faat fir no lookin whaar he wis gaein. Next year Daa'll surely hae mair wit as ta mesure his lent ower a peat bank, an he'll be able ta come tae da haaf.

I tink I'll feenish here fir da day. I hae ta rise aafil early da morn's mornin, dan awa tae da haaf, an death tae da heid dit haes nae hair!

2nd May

I didna sleep datna weel da tidder nicht. I haed a aafil gluffin dream. I dreamt I wis oot in a sixern, aa by mesel, on a flat calm day. Den dey wir gret black cloods gaddered apo da horizon. Da cloods got nearer an nearer, dan a corbie cam fleein oot o dem screechin, "Wrack, wrack!" I lookit doon ida sixern again, an dey wir somebody da neebir o mesel sittin fornenst me! Dat's whar I waakent up. I'm no telt onybody aboot it.

We set aff early ida mornin. Da son wis sheenin, an it wis a waarm day, bit it wis braa bumbly aboot twinty mile oot. Jim is no sae good in a boat as I im, an he haed a face lik a skitter cloot afore we wan tae da haaf. Be dat time da fish cam in he wis guppin fir sowel. He wis aaright efter twa-tree oors. Be dat time he haed nothin left ta spew. Alex said ta Jim it he shouldna feel bad aboot bein seek. He wisna da first boy ta hae his maet run up wi im, an he widna be da last. Dat pirkit him up a bit, till Gibby telt da story aboot a lump o fat on a piece o string. Jim'll joost hae ta get used wi dis, he haes to do dis fir Lammas!

3rd May

Annider fine day. Jim is gotten used wi da sea noo. I dunna hae lang ta write da day. We'll be takkin in da lines shortly, an gaen hame fir da helly. It's fine at Beltane wis in da middle o da week dis year.

Glossary (margin):

fishing
through, summer

six-oared boat

sick
fault

frightening

raven

in front of

very choppy
nappy
retching his heart out

food
perked

(1st August)

week-end

14th June

I'm no haed a lok o time ta write i me diary fir a braa start. Wir been wirkin datna herd at da haaf, at I'm been ower tired ta budder.

Jim is no been sae seek fir a start, bit he's only geen an gotten himsel brunt wi da son! On da height o dat, he's bled his fingers on da hooks mair aaft as ony idder body, an he's even managed ta faa ower da side! Ah weel, I'll joost hae ta coont me blissins dit I'm no sae ill-luckit.

15th June

Mebbe I'm no sae lucky as I towt I wis distreen. We wir guttin fish an saatin dem. I dunna ken foo it cam ta be, bit me tully slippit, an laid twa inch o skin fae me fore finger. Da saat got inda scrape, an boy, it sweed lik da very ill helt.

I stöd apo da bench sinkin an swearin. Jim sat grinnin lik a pent brush, while I wis roarin aa da bad wirds I kent, an twa-tree I towt up joost fir da occasion. Jim lackly deserved a laach fir aa da things it wis happent ta him but whin I saa him sneesterin awaa, I wid a been blyde if every trow in da isle had stucken a fish hook ida sheeck o his backside!

Ony wye, Uncle Rasmie says me hand'll hael ower in a mont or sae. Till dan I'll joost hae ta keep it rowed up, an try no ta swear lood if saat wins on it again. Wir awae tae da haaf da morn.

15th July

I'm in da sixern eenoo while I write dis. It's a most aafil fine night, da stars ir oot, an da mön is sheenin aff o da waater. Da sea is herdly movin avaa, an aa body's haein a rest. It's bön a lang day, so I'll set doon me book an try an sleep. Da rest o da boys ir been neebin da brucks o a oor noo.

I dunna tink I'll sleep again da nicht! I'm joost haed yon dream again, da wan wi da cloods an da corbie. I saa yon fellow it lookit laek me again. Dis time, he raise up an raekit oot a hand tae me. I wok up sweatin. Dir suntin aafil fey aboot yon dream.

16th July

It's been annidder göd day. Da son is sheenin apo wis, an dey wir nae wind avaa. Idder is dat, an da gret lok o fish we tok in, nothin datna interestin happent.

Margin glossary:

lot, We've
bother

burnt
more often

unlucky

last night, salting
knife
salt, stung like the very devil

sniggering, happy, goblin

covered
tomorrow

even now
moon, at all

dozing for the most of an hour now

reached
bewitched

upon us
at all

rough

It's come a lok caalder noo. Dir a bit o a wind up tö. Da sea is gettin coorse. Uncle Rasmie tinks we shöd geng back tae laand.

It's been owsin doon fir a braa start noo. Da sky is joost black be dis time. Da wind is gettin stronger aa da time.

Da sixerns rockin datna muckle I can haerdly write.

Da wadder is calmed doon a bit noo. I'm da only wan left. Alex geed ower da side an we couldna see him. Magnie an Gibby wir lost tryin ta fin Alex. Da sixern joost aboot turnt ower wi a muckle wave, an Uncle Rasmie hurlt ower da side. Jim yelled an gret; he wanted to geng efter his faidder. I tried ta stop him. I telt him he wid hae nae chance o sweemin trow yun sea, lit alane finnin ony sign o his faidder.

big
wept

So dis is me on me own. I'm faert, an I dunna ken whar I im. Da sixern is miles awaa fae Sheland be dis time. I'm aafil tired, bit I canna win ta sleep. Whenever I close me een, I kin see Jim, brölin fir his drooned faidder, an divin intae da sea.

crying

Da wind is started tae pick up.

Dir somebody in da sixern wi me. Dir ower muckle clood, I canna stime wha it is. Da boy I dremt aboot! Da wan it looks lik me! I kent dey wir suntin fey aboot yun dream.

There is, make out

These were the only entries in a diary found washed ashore in December of last year. To this day, no one knows who Gideon Hunter was, or where in the Isles he came from.

LOCKERBIE ELEGY

William Hershaw

> The frown of his face
> Before me, the hurtle of hell
> Behind, where, where was a, where was a place?
>
> **The Wreck of the Deutschland**
> **Gerard Manley Hopkins**

falls	December is dark and fas
Black	Mirk ower Border march and moor.
spirit	December is a shroud. The banshee blaws
	Thru the langest day and darkest hour.
reluctant	The year turns like a hearse wheel, sweir
slothful, away	Ti win the slottry world awo fae deith,
make, ask	Ti rax a resurrection, speir
	Despair and horror brak wi the Sun's bricht breith.

	Our ancestors fired folk,
destined	They brunt the weerded anes as sacrifice,
Gifted for good luck	Handselled the dark wi flesh and smoke
low, appear	That the laich licht micht kyth.
smoke, bound	As the reek rose – the bodies thirled ti a wheel
lightning	O fire-flaucht – the watchers witnessed waste
	O fleshy form. This fire-festival
Loosed, work, harvest	Loused Pagan spirits ti wrocht a future hairst.

laugh and snigger	Us, we lauch and snirt
unable to write, schooling	At them, screevinless, withoo science or skeill.
	Smug-faced, in livin-rooms we sit
turned	As if we birled Fate's fell wheel.
	We gawp at graves on screen, our conscience free
	Ti mak nae connection wi the deith-tales tellt.
	Gorbachev and Bush like dark angels flee
	Abune our heids. Horrors are speired, are heard but no felt.

sky fall	Until the day o sky-doom,
called	The lift-lapse when the carry crashes,
	When Deith is biddan til the livin-room,
	When the roof-tree rends and smashes,
earth-bound	When the yird-bound plane plummets fae space
	When the news is torn bluidy fae the broken screen,
written	Unbelief screeved on its face –
ever	The crushed corpse on the carpet screeved for ay on our een.

The sky-wrack strewn
Wi torn and twisted bodies scattered,
The wing-wreck ligs ower field and toun,
Metal mangled and bomb-battered.
The horror o this fire-ship, fresh-fa'n,
Wad seecken the mind speired in its ugsome hale:
Lockerbie wauks ti a hellish daan,
Its crater-carved streets unmade til Paschendale.

Pray, pity them then,
That fell in fear fae unfathomed hecht,
Fell in a howlin gyre, forlane,
In a yowlin gale that blew that nicht.
Did they fa unkennin til Deith's dark deep
Fae the harrowin hertbrak that hell brocht?
God gie their screamin sowels sleep,
Pray, pity them as they thocht their last thochts.

Wha farrant their foul fate?
Wha doomed them ti dee? Wha schemed the ploy?
This scunnerfu sacrifice – this deith-gate,
Brocht nae pagan life-joy.
A deed ti mak maist blanch and blate –
Whit cause, whit clan wad ca such dool? Whit men,
Whit wrang worth such a hate?
Whit leid a life when life is a we hae and ken?

The howlin engine banshee
Pibrochs the plane – mocks mad Man's will.
Born ti be a burnin ba o energy
Birlin thru the universe for guid or ill
We choose ti destroy, murder, maim and unmak
Afore we ken a peerie piece o our place,
O our circumstance, let the cruel cloods crak!
That we in madness micht speir the froon on God's face.

We clatter doon til end-shroud
As Vulcan, Daedalus and Lucifer fell.
We bide on the yird-brek thru brief life-clood
Ti non-being, spirit-louse or hell.
Ane day we maun dree their weerd – the wecht
O Life will drag us ablo tae, deaved wi pain,
Hard doon wi a horror o hecht –
Pray, pity us that fa as December deith-rain.

Glossary

sky-wreck
lies
horrible hole
wakes, dawn
height
spiral, worthless
unknowing
fashioned
condemned
disgusting
terrified
grief
way of life/culture
Spinning
tiny
know
death
earth-break, life-cloud
spirit-loosened
suffer their fate
below too, wracked
death-rain

CAIRTEAL GU MEADHAN-LATHA

Aonghas Phàdraig Caimbeul

Cha robh càil ri fhaicinn sna speuran, 's dh'èirich e, a dh'fhaicinn cà 'n robh e.

Bha soighne-rathaid pìos air falbh, 's chòisich e sìos thuige (bha an spèileabòrd air briseadh na chòig phìosan an dèidh dha dhol car-a-mhuiltein ris!)

Air an t-soighne bha e sgrìobhte: "An Tairbeart: 1 mhìle."

Choisich e sìos am bruthach seachad air a' gharaids 's air oifisean na Comhairle.

Chaidh e steach dhan taigh-òsta a bha falamh, fosgailte.

A QUARTER TO MID-DAY

Angus Peter Campbell

There was nothing to be seen in the sky, and he got up, to see where he was.

There was a road-sign a bit away, and he walked to it. (The skateboard had broken into five pieces after he'd gone head over heels with it!)

The sign read: "Tarbert: 1 mile."

He walked down the hill past the garage and the Council offices.

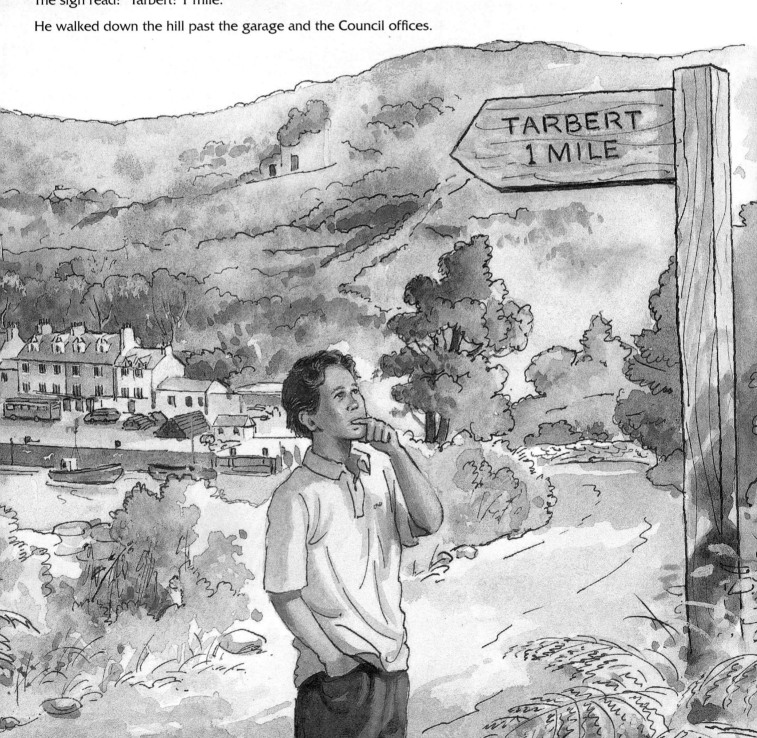

Thug e sùil air na cèiseagan-glainne far an robh deilbh nam breac 's nam bradan a bha na daoin' uasal air a ghlacadh tro na bliadhnachan.

" $11\frac{1}{2}$ lb salmon caught by Major D L Lilstrom on Loch Miavaig on April 15 1923 using red-wing brown-dye fly on thin cast."

Chuir na deilbh an t-acras air, 's chaidh e steach dhan chidsin far an do dh'fhosgail e crogan tuna (às an Spàinn). Ghabh e thuige le forc, dìreach mar a bha e, 's an uair sin dh' òl e leth dhen bhotal lemonade a bha air a' bhòrd.

Ach bha an t-acras air fhathast, 's an dèidh dha sùil a thoirt air cèiseig mhòir eile a thuirt:

"7lb trout caught by L T Airsmith on River Snishdale, 18th September 1953 using tipped-wing butterfly-perambulator feather on thick cast with blue-grey fly,"

thill e dhan a' chidsin far an do dh'fhosgail e na trì crogain tuna a bh' air fhàgail. Chuir e air truinnsear iad an turas seo, 's lìon e an gnothach le sabhs tomato mus do dh'ith e a h-uile criomag dheth.

An dèidh dha ithe rinn e brùchdail, 's shuidh e greis, a' gabhail anail.

Bha bileagan pàipeir air an dreasair le sanasan 'MacMeikle and MacMeikle, Frozen Food Manufacturers, Glasgow' orra 's shrac e aon phìos dheth 's sgrìobh e (leis a' pheansail aige fhèin):

"10lb Spanish tuna eaten by Donald James MacLeod in Tarbert, Isle of Harris 12 May using large red tongue in big hungry mouth."

Gheàrr e am pìos pàipeir le siosar a bha crochte air a' bhalla 's steig e am pìos pàipear (le pìos sealoteip) air mullach a' bhradain aig Major Lilstrom.

"'S beag an t-eagal gum faic a' chuideachd e co-dhiù," thuirt e ris fhèin 's e fàgail an taigh-òsta, seachad air Taigh mo Sheanar, sìos chun a' chidhe.

Bha an Hebridean Isles an sin 's an gangway rithe. Chaidh e suas oirre, 's choisich e troimhpe, gun duine beò ri fhaicinn. Bha na pàipearan-naidheachd: an *Stornoway Gazette*, an *West Highland Free Press*, an *Oban Times*, an *Guardian*, an *Independent*, agus *Daily Record* nan laighe air na bùird sa bhàr agus anns a' chafeteria.

Dhìrich e na staidhrichean suas chun na drochaide a bha cho falamh ris a' chòrr. Bha an ràdar 's an rèidio 's a' chuibhle 's gach inneal àraidh eile nan tàmh. Bha ceap - ceap-sgiobair - crochte ris a' bhalla, 's chuir e air e.

Chan eil ach dithis air fhàgail beò an dèis dhan bhoma tuiteam aig cairteal gu meadhan-latha – Màiri an Eirisgeidh agus Dòmhnall am Barabhas. Tha a h-uile càil mar a bha e ron a' bhoma ach nach eil duine ri fhaicinn. Tha Dòmhnall a' falbh gu deas agus Màiri a' falbh gu tuath a dh'fhaicinn a bheil duine eile beò.

He went into the hotel which was empty and open.

He looked at the glass frames showing photographs of trout and salmon that the gentry had caught over the years.

" $11\frac{1}{2}$ lb salmon caught by Major D L Lilstrom on Loch Miavaig on April 15 1923 using red-wing brown-dye fly on thin cast."

The photographs made him hungry, so he went into the kitchen where he opened a can of tuna (from Spain). He went at it with a fork, just as it came, and he then drank half the bottle of lemonade that was on the table.

But he was still hungry, and after looking at another large frame which read:

"7 lb trout caught by L T Airsmith on River Snishdale, 18th September 1953 using tipped wing butterfly-perambulator feather on thick cast with blue-grey fly,"

he returned to the kitchen where he opened the remaining three tins of tuna. He put them on a plate this time, and he covered it with tomato sauce before he ate every last bite.

After eating, he burped, and sat for a while, resting.

There were some leaflets on the dresser with the name 'MacMeikle and MacMeikle, Frozen Food Manufacturers, Glasgow' and he tore off a piece and wrote (with his own pencil):

"10 lb Spanish Tuna eaten by Donald James MacLeod in Tarbert, Isle of Harris, 12 May using large red tongue in big hungry mouth."

He cut the piece of paper with scissors that were hanging on the wall and stuck the paper (with Sellotape) on top of Major Lilstrom's salmon.

"There's not much danger that they'll see it anyway," he said to himself as he left the hotel, past Taigh mo Sheanar, down to the pier.

The *Hebridean Isles* was there with the gangway down. Up he went and walked all over the boat, but did not see a living soul. The newspapers: the *Stornoway Gazette*, the *West Highland Free Press*, the *Oban Times*, the *Guardian*, the *Independent* and a *Daily Record* were lying on the tables in the bar and in the cafeteria.

He went up the steps to the bridge which was as empty as the rest. The radar, the radio, the wheel and all the other equipment were still. There was a cap – a captain's – hanging on the wall, and he put it on.

There are only two left alive after the bomb fell at a quarter to mid-day – Mary in Eriskay and Donald in Barvas. Everything is as it was before the bomb but there is no one to be seen. Donald is heading south and Mary is heading north to see if there is anyone else alive.

The Bonnie Broukit Bairn

Hugh MacDiarmid

Mars is braw in crammasy,
Venus in a green silk goun,
The auld mune shaks her gowden feathers,
Their starry talk's a wheen o blethers,
Nane for thee a thochtie sparin,
Earth, thou bonnie broukit bairn.
– But greet, an in your tears ye'll droun
The haill clanjamfrie!

handsome, crimson
gown

lot of foolishness

abandoned
weep, drown
whole mob